介護福祉士
歯科医師
ケアマネジャー
消防署
訪問診療
看護師
医師
救急救命士
薬剤師
理学療法士など
保健所
歯科
保健師
歯科衛生士
歯科医師
獣医師
臨床検査技師
医師
歯科衛生士
歯科医師
看護師
管理栄養士
介護施設
理学療法士など
社会福祉士
介護福祉士

医療・福祉の仕事 見る 知る シリーズ

義肢装具士の一日

保育社
HOIKUSHA

はじめに

義肢装具士《ぎしそうぐし》の仕事って、どんなもの？

使う人の体にぴったりと合った義肢《ぎし》装具をつくるスペシャリスト！

義肢装具士《ぎしそうぐし》は、義肢《ぎし》装具を製作し、使う人の体にぴったりと合わせることができる専門的な技術と知識をもつ医《い》療職《りょうしょく》です。義肢《ぎし》とは、手足を切断した人や、生まれつき欠損している人が使う義手や義足のこと。パラリンピックなどで義手や義足をつけた選手が活躍《かつやく》しているのを見たことがあるでしょう。装具とは、病気やケガの治療《ちりょう》のためや、体の機能を助けて日常生活を送りやすくする目的で使用するコルセットやインソール（足底板《そくていばん》）などのことです。

医療職《いりょうしょく》の国家資格としてはめずらしく、義肢装具士《ぎしそうぐし》の多くは、病院ではなく民間の義肢《ぎし》装具製作所に所属しています。事業所内で義肢《ぎし》装具の製作や修理などを行うほか、提携《ていけい》する医療《いりょう》機関に出向いて、患者《かんじゃ》さんの体の型どりや採寸、完成した義肢《ぎし》装具が体に合っているかどうかの確認《かくにん》もします。

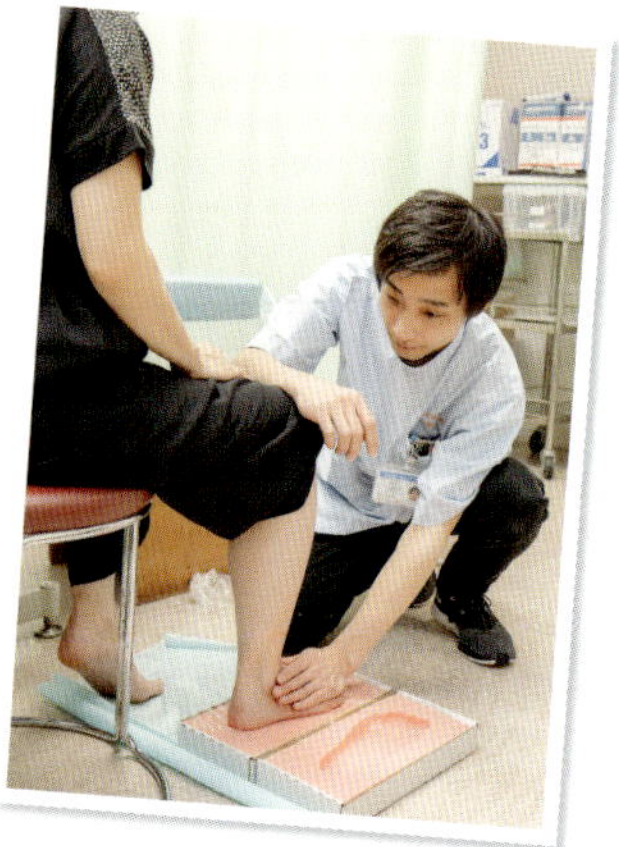

ものづくりの職人であると同時に、人と接する医療職《いりょうしょく》でもあります

義肢《ぎし》装具の製作には、さまざまな材料を加工する技術が要求されます。職人的なイメージが強い仕事ですが、ぴったりと合った義肢《ぎし》装具をつくるには、それを使う人とのコミュニケーションが最も重要です。医師や看護師、リハビリテーション専門職などとの連携《れんけい》も欠かせません。

義肢装具士《ぎしそうぐし》養成校は全国で10校とわずかで、有資格者も約5000人と、ほかの医療職《いりょうしょく》と比べて少ないのが現状です。しかし、義肢《ぎし》装具を必要とする障がい者や高齢者《こうれいしゃ》の数は増え続けており、義肢装具士《ぎしそうぐし》が活躍《かつやく》する分野も広がっています。義肢装具士《ぎしそうぐし》は、義肢《ぎし》装具という「もの」を通して、使う人の生活や人生に深くかかわることができる、やりがいの大きな仕事です。

目次

Part 1 義《ぎ》肢《し》装《そう》具《ぐ》士《し》の一日を見て！ 知ろう！

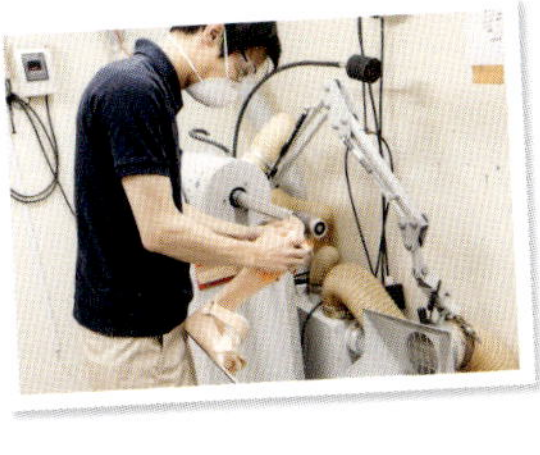

※この本の内容や情報は、制作時点（2018年7月）のものであり、今後変更が生じる可能性があります。

義《ぎ》肢《し》装《そう》具《ぐ》士《し》の仕事場

義《ぎ》肢《し》装《そう》具《ぐ》士《し》の多くは義《ぎ》肢《し》装具製作所に所属していますが、医《い》療《りょう》機関に出向いて仕事をすることもあります。

義肢《ぎし》装具製作所
（補装具製作事業所）

義肢《ぎし》装具の製作や修理を行う事業所。公的な法人が設置しているものもありますが、ほとんどが民間の会社です。大半の義《ぎ》肢《し》装《そう》具《ぐ》士《し》は、義《ぎ》肢《し》装具製作所の社員として働いています。会社には義肢《ぎし》装具の製作に必要なさまざまな機械を備えた作業場があり、義《ぎ》肢《し》装《そう》具《ぐ》士《し》はここで義肢《ぎし》装具をつくります。どんな種類の義肢《ぎし》装具を多く手がけるかは、会社によって異なります。

提携《ていけい》

医療《いりょう》機関

病院やクリニック（診療所《しんりょうじょ》）のリハビリテーション科、整形外科《げか》などでは、義肢《ぎし》装具をつけることでケガからの回復をうながしたり、身体機能を補いながらリハビリテーションを行ったりします。義《ぎ》肢《し》装《そう》具《ぐ》士《し》は医師の指示のもと、採型や採寸、義肢《ぎし》装具の適合を行います。多くの場合、提携《ていけい》する義肢《ぎし》装具製作所の義《ぎ》肢《し》装《そう》具《ぐ》士《し》が医療《いりょう》機関を定期的に訪《おとず》れて業務を担当しますが、医療《いりょう》機関に所属する義《ぎ》肢《し》装《そう》具《ぐ》士《し》がいる場合もあります。

パーツメーカー

義肢《ぎし》装具はふつう、義肢装具士《ぎしそうぐし》が手づくりするパーツ（部品）だけでなく、パーツメーカーが生産するパーツも組み合わせてつくります。パーツメーカーには、義《ぎ》肢装具士《しそうぐし》の資格をいかして、新しいパーツの開発にたずさわる人や自社の製品を紹介《しょうかい》する営業職として働く人がいます。

身体障害者更生《こうせい》相談所

都道府県などが設置する行政機関で、身体障がい者やその家族に対し、専門的知識と技術を必要とする相談や指導、判定などを行うところです。ここで働く義肢装具士《ぎしそうぐし》は、身体障がい者からの義肢《ぎし》装具に関する相談や申請《しんせい》を受けています。

教育機関

義肢装具士《ぎしそうぐし》養成校では、義肢装《ぎしそう》具士《ぐし》が教員として学生の指導にあたっています。現場で経験を積んだあと養成校の教員になる人もいれば、義肢《ぎし》装具製作所などに勤務しながら、講師として招かれて講義をする人もいます。

研究機関

義肢装具士《ぎしそうぐし》としての知識や経験をいかし、研究所や大学に所属して義肢《ぎし》装具や福祉《ふくし》用具の研究を行う人もいます。義肢《ぎし》装具製作所で働く義肢装《ぎしそう》具士《ぐし》も、仕事で得たデータをもとに日々研究を重ねています。

義《ぎ》肢《し》装《そう》具《ぐ》士《し》大《だい》解《かい》剖《ぼう》！

義《ぎ》肢《し》装《そう》具《ぐ》士《し》はいつもどんなスタイルで仕事をしているのでしょう。身につけているものや身だしなみのポイントを紹介《しょうかい》します。

髪型《かみがた》

作業場ではとくにルールはない。社会人らしい清潔な髪型《かみがた》に。

作業着

よごれてもいい動きやすい服装。会社でユニフォームが支給される場合もある。

手・つめ

つめは短く切っておく。作業時に熱いものにふれる場合はグローブをつける。

靴《くつ》

材料のけずりかすや石《せっ》膏《こう》などがつくので、よごれてもよいものをはく。

チェック !!

パーツをけずる作業をするときは……

義《ぎ》肢《し》装具の製作工程では、プラスチックなどをみがいたりけずったりする作業があります。目に見えない粉《ふん》じんが大量に発生するため、防じんマスクと保護ゴーグルの着用が定められています。肺に粉《ふん》じんがたまってしまう「じん肺」という病気を防ぐためにも大切なことです。

臨床《りんしょう》業務のときは…

病院に出かけて、患者《かんじゃ》さんの採寸や採型、適合などを行う「臨床《りんしょう》」の仕事の際は、医療職《いりょうしょく》らしい清潔な服装に着がえます。

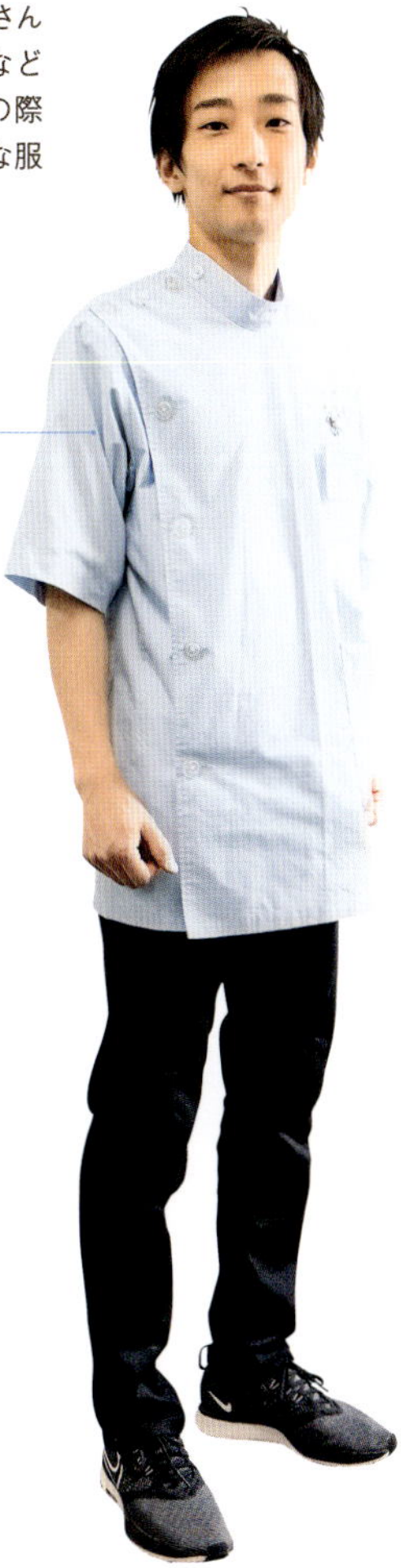

白衣

医療職《いりょうしょく》のユニフォーム。ケーシーと呼ばれる、半そでで立てえりの動きやすい白衣を着ることが多い。

女性も男性と同じユニフォームを着用。髪《かみ》の毛は、じゃまになる場合は結ぶが、服装や髪型《かみがた》は比較的《ひかくてき》自由。作業のしやすさを重視する。

義肢装具士《ぎしそうぐし》の仕事道具 大解剖《だいかいぼう》！

義肢装具士《ぎしそうぐし》は仕事にどんな道具を使っているのかな？
毎日の仕事に欠かせない道具や持ちものを紹介《しょうかい》します。

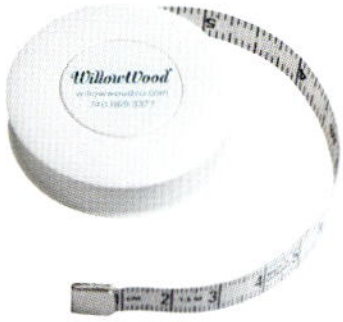

メジャー

コルセットをつくるときに、胴《どう》周りなどをはかるのに使う。ごく一般的《いっぱんてき》なメジャー。

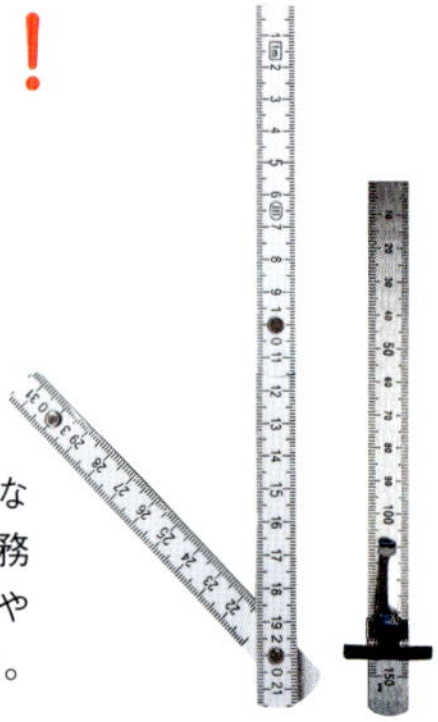

ものさし

正確な採寸に欠かせない。病院での臨床《りんしょう》業務のときはもち運びしやすい携帯《けいたい》タイプを使う。

ゴニオメーター

関節の角度をはかる角度計。リハビリテーション専門職の人が使うものと同じ。

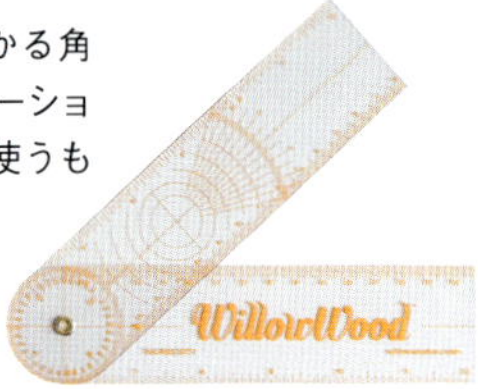

医療用《いりょうよう》メス

型どりのための石膏《せっこう》を外すときに使う医療用《いりょうよう》メス。

ギプスはさみ

ギプスをカットする際に皮膚《ひふ》を傷つけないよう、先端《せんたん》に丸みがあるはさみ。

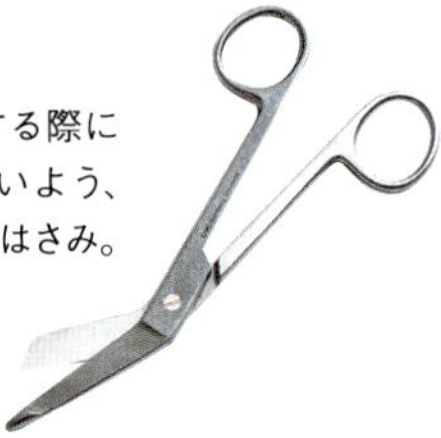

トルクレンチ

設定した強さでボルトやナットをしめることができる工具。

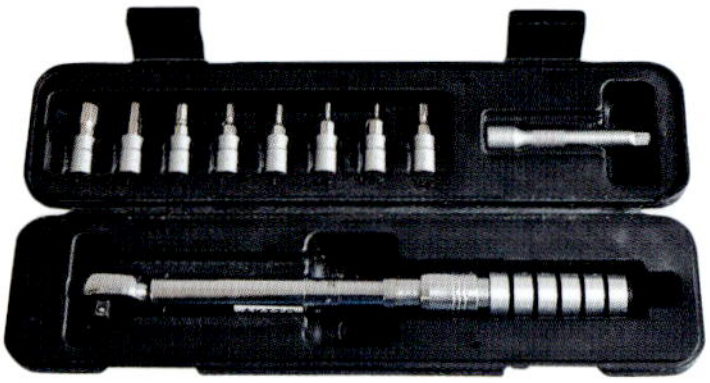

六角レンチ

義足などの部品をつなぎ合わせる六角ボルトを調整する工具。角度調整などに使う。

革《かわ》すき包丁（左）
切り出しナイフ（中）
千枚通し（右）

材料の革《かわ》の端《はし》を処理したり、切ったり、穴を開けたりする道具。自分専用のもので、刃《は》をとぐなどの手入れも自分でする。

たちばさみ

布などを裁断するときに使うはさみ。

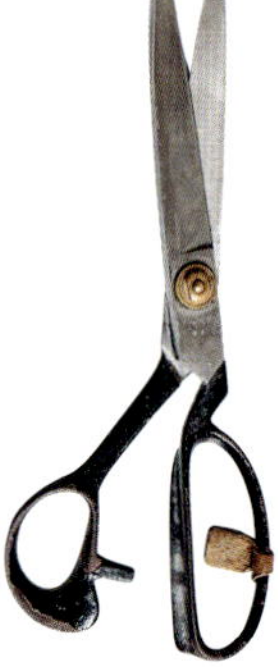

Part 1

義《ぎ》肢《し》装《そう》具《ぐ》士《し》の一日を見て！ 知ろう！

義《ぎ》肢《し》装具製作所に勤務する
義《ぎ》肢《し》装《そう》具《ぐ》士《し》の一日に密着！

取材に協力してくれた
義肢装具士《ぎしそうぐし》さん

田村《たむら》 秋人《あきと》さん（29歳《さい》）

田沢《たざわ》製作所
義肢装具士《ぎしそうぐし》

Q どうして義肢装具士《ぎしそうぐし》になったのですか?

母が看護師なので医療職《いりょうしょく》に興味がありました。工業高校出身ということもあり、ものづくりがもともと好きだったので、医療《いりょう》とものづくりという両方の側面がある義肢《ぎし》装具士《そうぐし》という仕事を知り、志すことにしました。専門学校卒業後は、国際的に活躍《かつやく》できる義肢装具士《ぎしそうぐし》を目指そうと思い、タイのNPO団体で1年間働いたあと、バンコクの大学に編入。「ISPOカテゴリーⅠ」の個人認証《にんしょう》（69ページ）も取得しました。

Q この仕事のおもしろいところは?

地雷《じらい》で足を失った人に無償《むしょう》で義足をつくるNPO団体で働いていたこともあり、現在の会社でも義足を製作する部署に属しています。「つくってよかった」と喜んでもらえる義足をつくり、その人の生活の質を向上させるお手伝いができたときにはやりがいを感じます。また、治療《ちりょう》に使う装具の場合は、早く治療《ちりょう》が開始できるよう、1回の採寸で体にしっかりとフィットする質の高いものをつくることを心がけています。

ある一日のスケジュール

- 9:00 出勤
- 10:00 ユーザーさんが来社
- 11:00 義肢《ぎし》装具の製作
- 12:00 昼休み
- 13:00 病院へ出発
- 13:30 病院での臨床《りんしょう》業務
- 16:30 事務作業
- 17:30 終業

9:00 出勤

製作所で働く人はみんな義肢装具士《ぎしそうぐし》なの？

きょうも一日
がんばるぞ！

きょう患者《かんじゃ》さんに
わたすコルセットは

患者《かんじゃ》さんに納品する装具を確認《かくにん》。忘れたらたいへんなのでしっかりチェックします。

製作の仕事を担当する技術者や事務スタッフも働いています

義肢《ぎし》装具をつくる仕事のうち、材料を加工したり組み立てたりする「製作」の仕事は、義肢装具士《ぎしそうぐし》の資格がなくてもできます。この会社では、コルセットやインソールの製作は技術者が担当しています。また、ふつうの会社と同じように、事務を担当する社員も働いています。

朝、会社に出勤したら、作業着に着がえて、その日のスケジュールが書かれたホワイトボードをチェック。ユーザーさん（義肢《ぎし》装具を使用する人）の来社の予定や、医療《いりょう》機関での「臨床《りんしょう》」（26ページ）の予定を確認《かくにん》します。義肢《ぎし》装具の製作は、それ以外の時間を使って自主的に進めています。

医療《いりょう》機関へ出向く予定がある日は、その日に納品するコルセットやインソールなどの装具がそろっているか、伝票とつき合わせて、朝のうちに確認《かくにん》しておきます。

10:00

ユーザーさんが来社

? 義肢《ぎし》装具ってどんなもの?

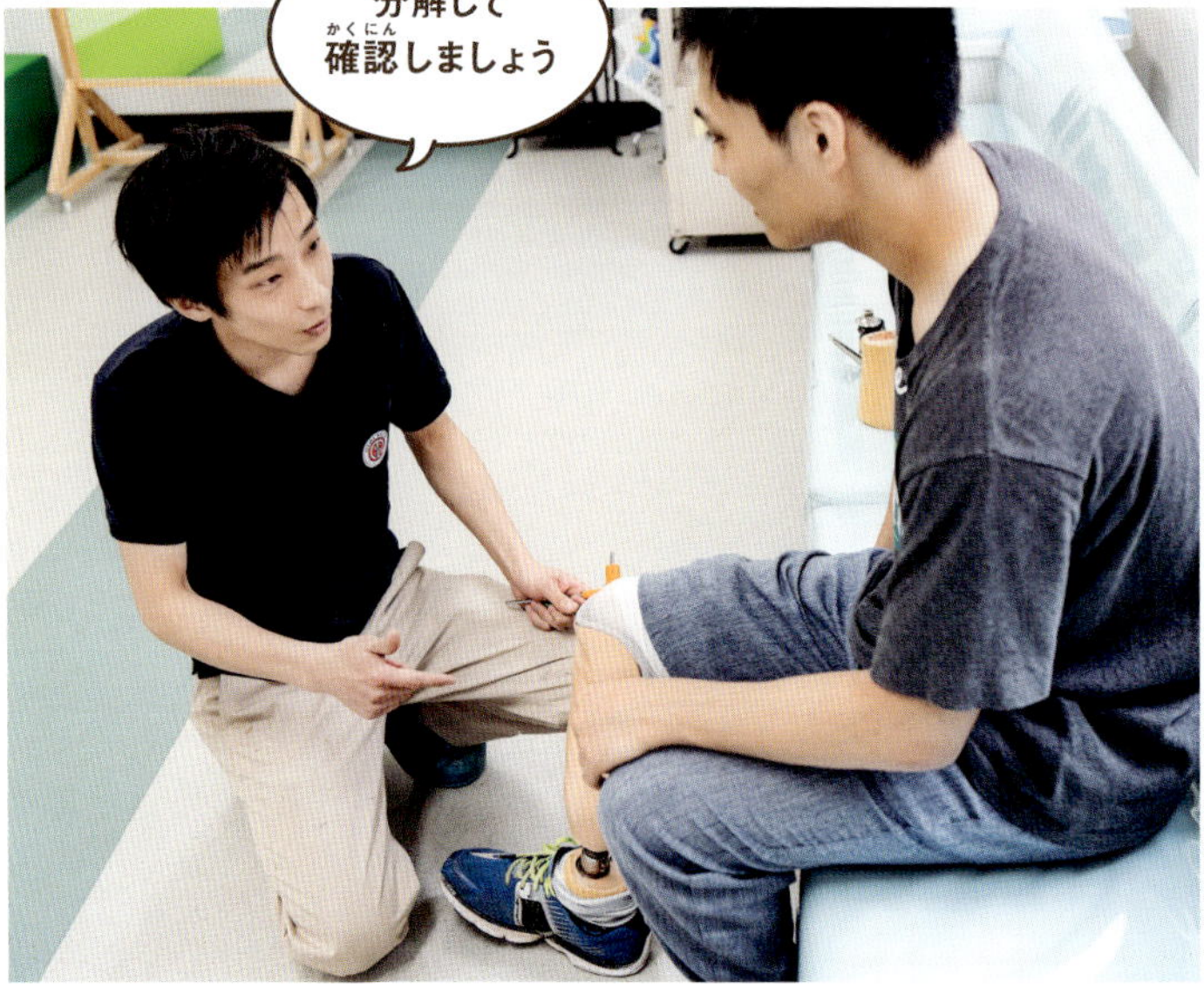
歩くときに、前とちがう感じがするんですけど…
分解して確認《かくにん》しましょう

この日は義足のユーザーさんが来社。日常生活で使用する義足なら、通常、半年から1年に1度くらいのペースでメンテナンスを行います。

義肢《ぎし》は手足のかわりになるもの。装具は治療《ちりょう》や機能補助に使います

「義肢《ぎし》」とは、病気やケガで手足を切断した人や、生まれつき手足が欠損している人が装着する器具で、足のかわりになるものを義足、手のかわりになるものを義手といいます。一方、「装具」とは、病気やケガなどによって体に生じた痛みや麻痺《まひ》といった障がいに対して用いられる器具です。治療《ちりょう》目的のものと、障がいが残った場合に失った機能を補う目的のものがあります。腰《こし》を痛めたときにつけるコルセットや、外反母趾《がいはんぼし》(※)などの治療《ちりょう》に使うインソールも装具の一つです。

義肢装具士《ぎしそうぐし》は義足をつくるイメージが強いかもしれませんが、実際に義肢装具士《ぎしそうぐし》があつかうものはさまざま。義足や義手を必要とする人の数よりも、コルセットやインソールを使う人の数のほうが圧倒的《あっとうてき》に多く、最適な装具をつくることも、義肢装具士《ぎしそうぐし》の大切な仕事の一つなのです。

※外反母趾《がいはんぼし》:足の親指の先が人さし指のほうに「くの字」に曲がり、親指のつけ根が出っぱって、その部分が痛む状態。

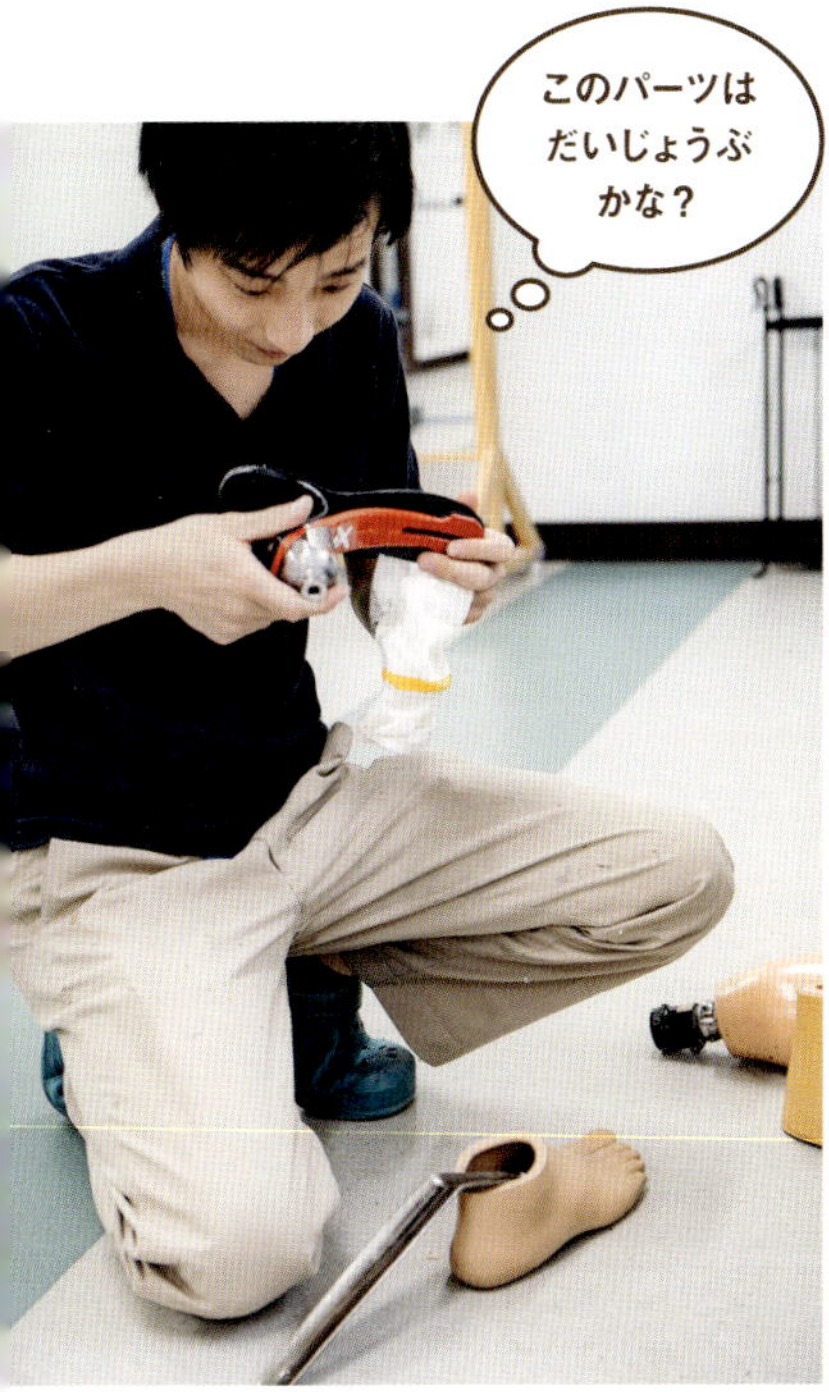
このパーツは
だいじょうぶ
かな?

アフターケアってどんなことをするの?

部品がすり減って
きているので
交換《こうかん》したほうが
いいですね
Here's
Sprite

パーツがすり減ったりこわれたりしてないかを確かめ、動きをチェック。パーツをすべて分解して清掃《せいそう》や点検を行うこともあります。安全に使用してもらうために欠かせない作業です。

体の変化に合わせた調整や部品の交換《こうかん》、修理、つくりかえも

完成した義肢《ぎし》装具を患者《かんじゃ》さんやユーザーさんに渡したら、それでおしまいではありません。メンテナンスなどのアフターケアも大切な仕事です。例えば、ケガの治療《ちりょう》で装具を使っているうちに、関節の動く範囲《はんい》がかわるなどの機能の変化や、やせたり太ったりという形状の変化があれば、医師の指示のもと、そのときの体の状態に合わせた装具へと調整していく必要があります。また、事故や病気で足を切断した患者《かんじゃ》さんに対しては、歩行訓練に必要な治療用《ちりょうよう》の義足を製作するほか、理学療法士《りがくりょうほうし》と連携《れんけい》してリハビリテーションをフォローしたり、歩きやすいように義足を調整したりするのもだいじな仕事です。

　パーツがすり減ったりこわれたりした場合の対応や、義足なら数年に1度のつくりかえも必要です。ユーザーさんとは、長くかかわっていくことになります。

？ どうやったら ぴったり合うものを つくれるの？

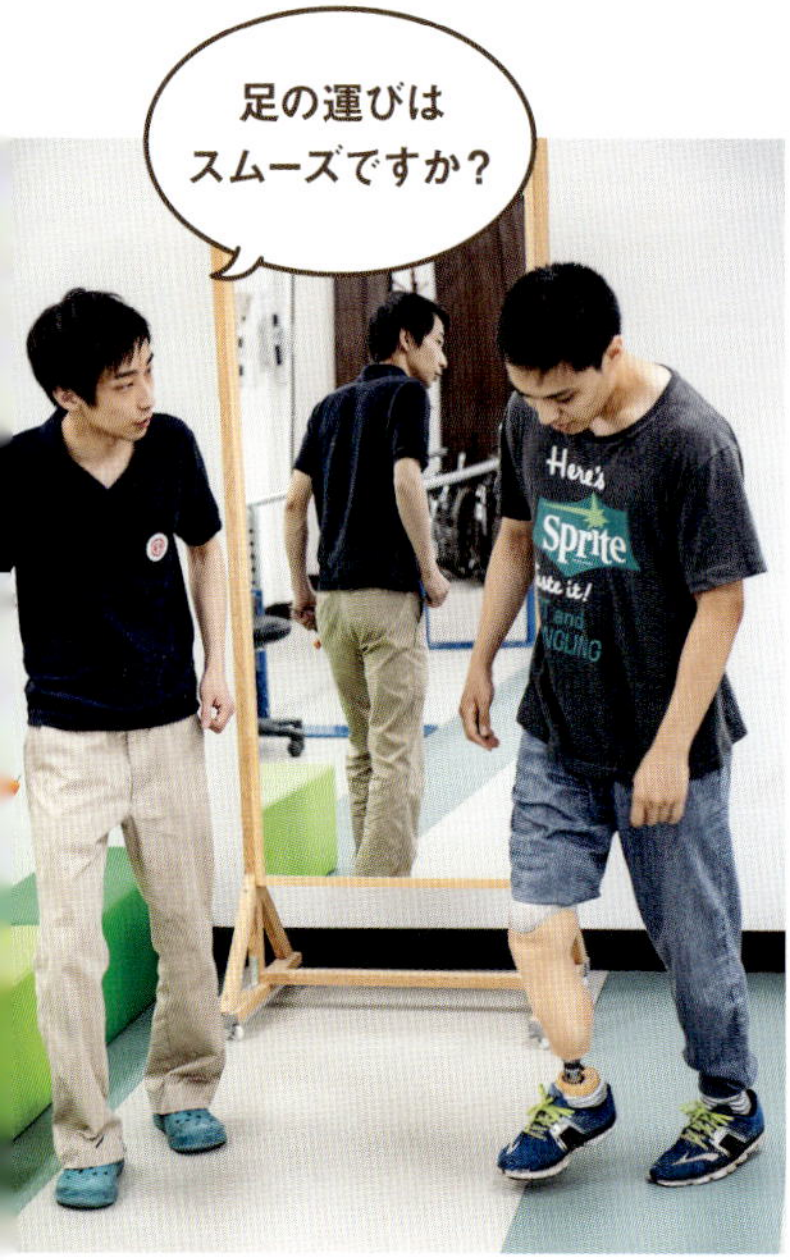
足の運びは
スムーズですか？

実際に歩いてもらい、適合具合を確認《かくにん》。違《い》和感《わかん》を感じるところがないか、歩行のようすを見てくみとることも必要です。

ぴったり
合いそうです
ソケットの
適合は
どうかな…

「痛いところはないですか？」とたずねるとネガティブなイメージになるので、「気になるところはないですか？」と聞くように心がけているそうです。

正確にサイズをはかって製作し、適合チェックをしてさらに調整

オーダーメイドの義肢《ぎし》装具をつくる際は、義肢《ぎし》装具をつける体の部分のサイズを正確にはかる「採寸」、型をとる「採型」が重要です。採寸や採型のあとは会社の作業場で製作を進め、完成したら患者《かんじゃ》さんやユーザーさんに装着してもらって確認《かくにん》。この工程を「適合チェック」といいます。適合とは、単に体に合った形にするだけではなく、使う人の年《ねん》齢《れい》や体力、生活スタイルに合わせたものにすること。義肢装具士《ぎしそうぐし》の腕《うで》の見せどころです。コミュニケーションをとりながら、その人の体の一部として違和感《いわかん》なく適合するまで、調整を重ねていきます。

コルセットなどの治療用《ちりょうよう》装具は、早く使い始めるために、早期に納品することが求められます。義足の場合は、いきなり完成品で適合チェックをするのではなく、「仮合わせ」という工程をはさんで使用感を確かめます。

COLUMN

義肢《ぎし》装具の「耐用《たいよう》年数」

義肢《ぎし》装具の種類やパーツごとに耐用《たいよう》年数が決められており、定期的なメンテナンスをしながら安全に使ってもらいます

義肢《ぎし》装具のなかには、コルセットのように治療《ちりょう》する間だけ使うものと、義足のように一生にわたって使い続けるものがあります。後者は、長期的にその人の体の一部として使われるので、メンテナンスや数年ごとのつくりかえが必要です。

義肢《ぎし》装具や、それに使われるパーツには、耐用《たいよう》年数が定められています。耐用《たいよう》年数とは、使用に耐《た》えられるとされる年数のこと。耐用《たいよう》年数は、義肢《ぎし》装具の種類ごと、パーツの種類ごとにそれぞれちがい、法律で細かく定められています。耐《たい》用《よう》年数を過ぎれば、保険などを適用して（30ページ）新しいものを製作することができるため、耐用《たいよう》年数を過ぎてから何か不具合が起きた場合は、つくりかえとなるケースが多くなっています。

義肢《ぎし》装具を安全に快適に使うためには、半年～1年ごとの定期的なメンテナンスが欠かせません。義肢装具士《ぎしそうぐし》はパーツの状態が悪くなったりすり減ったりしていないかをしっかり確認《かくにん》し、完全にこわれてしまう前にパーツの交換《こうかん》をします。さらに義足の場合は、太ったりやせたりすると、断端《だんたん》（切断や欠損の残っている部分）を入れる「ソケット」と呼ばれる部分がフィットしなくなるため、ソケット部分をつくりかえることがあります。

結合部分の欠け

かかとの部分の割れ

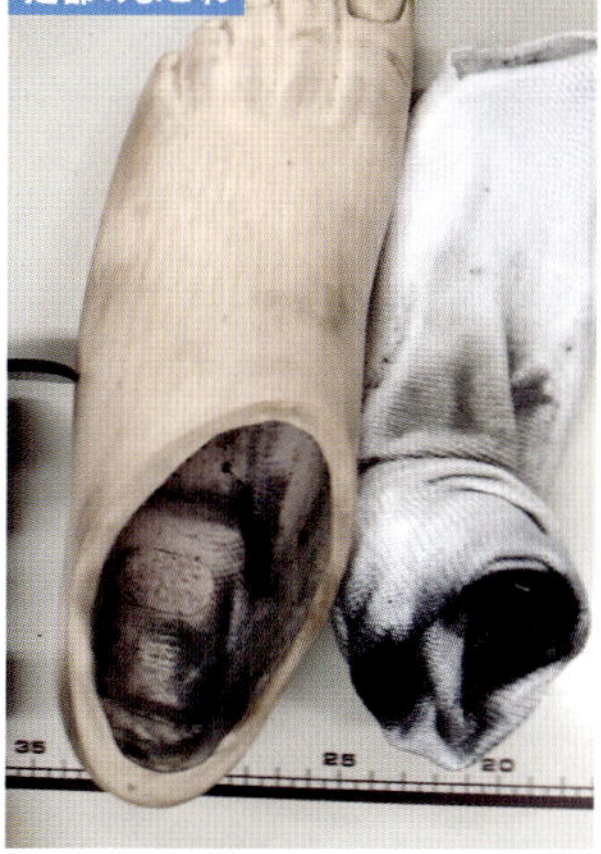

足部のよごれ

義足はパーツメーカーが製造・販売しているパーツを組み合わせてつくり上げますが、パーツはある意味消耗品《しょうもうひん》。時間がたてば、状態が悪くなったりすり減ったりするものなので、義足を使い続けるなかで交換《こうかん》は必須《ひっす》です。

11:00

義《ぎ》肢《し》装具の製作

?

義足をつくるには
どのくらいの
時間がかかるの?

ここは骨が
当たる部分だから

ぴったりフィットする義肢《ぎし》装具をつくるためには、石膏《せっこう》を用いた型どり(採型)が欠かせません。石膏室《せっこうしつ》と呼ばれる作業場にこもって長時間作業をする日もあります。

義足はオーダーメイド。完成まで2〜3週間かかります

採寸や採型を行ったら、会社の作業場で製作を進めていきます。上の写真は、義足の製作工程の一部です。ソケットと呼ばれる部分は、断端《だんたん》(19ページ)にぴったり合わせる必要があるため、欠損部位の型をとってつくります。適合させるには高い技術を要し、義足の完成までは2〜3週間ほどかかります。

所属する会社がどんな義肢《ぎし》装具をあつかうかによって、製作するものはちがいます。義足や義手を多く手がける会社もあれば、靴《くつ》に入れるインソールを得意とする会社もあります。また、背骨の骨折や腰椎椎間板《ようついついかんばん》ヘルニア(※)の患者《かんじゃ》さんが使うコルセットを中心に製作する会社もあります。オーダーメイドで製作するだけでなく、メーカーが製造販売《はんばい》する製品のなかから適したものを選び、正しい装着法を指導することも、義肢装具士《ぎしそうぐし》の大切な仕事です。

※腰椎椎間板《ようついついかんばん》ヘルニア:背骨の骨と骨の間でクッションの役目をする椎間板《ついかんばん》の一部が飛び出して神経を刺激《しげき》し、痛みが出る状態。

失敗することはないの?

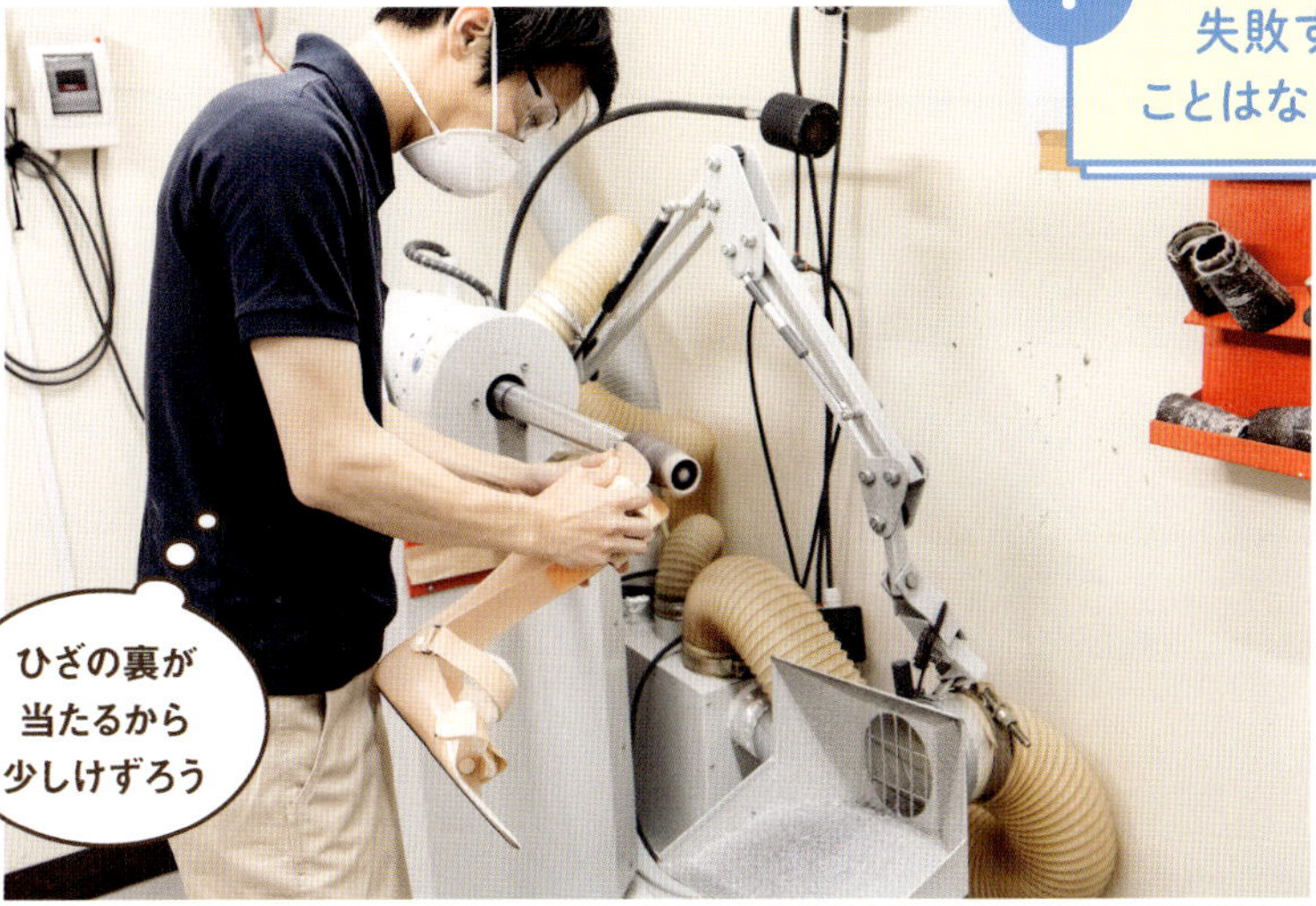
ひざの裏が当たるから少しけずろう

麻痺《まひ》がある人のための下肢《かし》装具の製作。プラスチック部分をけずり、高さを微調整《びちょうせい》しています。

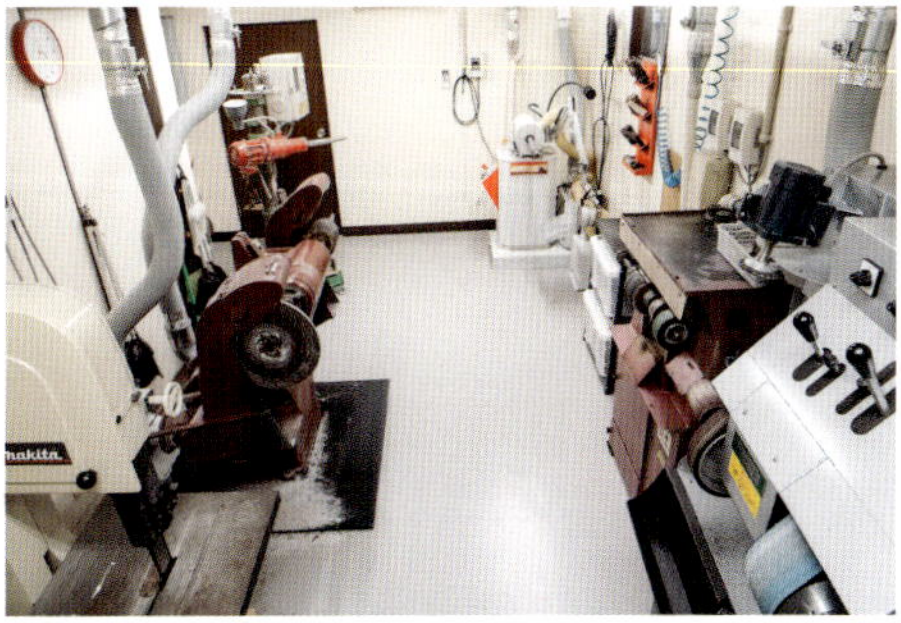

けずったり、切ったりする作業で使うカービングマシンなど、さまざまな機械が置かれた機械室。

快適に使える状態にするため、微調整《びちょうせい》をくり返すことも

義肢《ぎし》装具の製作は、職人的なものづくりの作業。プラスチックを熱でとかしたり、グラインダーと呼ばれる機械でけずったり、金属を曲げたり、工具を使ってねじをしめたりと、さまざまな作業をこなさなければなりません。材料となる素材の知識も必要です。

また、採寸、採型したとおりにつくれば必ずぴったり合うものができるわけではありません。義足の場合、使用感を確かめるための「仮合わせ」という工程がありますが、実際にソケットを装着してみると「歩いたときに骨の部分が当たって痛い」「ひざの曲げのばしがしにくい」などの違和感《いわかん》を訴《うった》える人も少なくありません。そんなときは、一度作業場にもち帰って微調整《びちょうせい》を行います。調整は何度にもおよぶことがありますし、ときにはつくり直さなければならない場合も。妥協《だきょう》せず、根気よくとり組むことが求められます。

義肢《ぎし》装具の製作で特に難しいことは何?

ボルトをしめて前後左右の角度を微調整《びちょうせい》します。さらに、義足を使わないほうの足に合わせて、現場で調整を加えます。

重心がかかとから3分の1くらいの位置になるよう、道具を使って重心を確認《かくにん》します。

その人に合わせた義肢《ぎし》装具を限られた時間で完成させること

義肢《ぎし》装具の製作で最も難しいのは、やはり使う人にぴったりと適合させることです。なかでも義足のソケット部分は、合わないものを装着すると、痛みが出たり断端《だんたん》(19ページ)を傷つけたりしてしまうこともあるため、歩行時の体重のかかり具合や、骨の位置なども考えてつくらなければなりません。ソケットと、その下の部分のつなぎ方が歩行のしやすさを左右するので、繊細《せんさい》な調整も必要です。治療用《ちりょうよう》装具の場合は、一日でも早く装着してもらうため、限られた日数でぴったり合うものをつくる技術が求められます。

切断後の患者《かんじゃ》さんに訓練用義足をつくる際は、患者《かんじゃ》さんが精神的に落ちこんでいることも多いため、コミュニケーションのとり方にも気をつかいます。義足がネガティブなイメージにならないよう、安心感や希望につながるような声かけを心がけています。

COLUMN

女性の義肢装具士《ぎしそうぐし》も活躍中《かつやくちゅう》！

ものづくりの作業では男性に比べて体力的に不利な面もありますが、医療《いりょう》現場では女性のニーズが高まっています

国内の義肢装具士《ぎしそうぐし》のおおまかな男女比は8:2と、男性が多くをしめています。製作の仕事は、石膏《せっこう》を型に流しこんだり、重い石膏《せっこう》モデルの形を整えたりと力仕事が多く、女性には体力的にハードな面もあります。大がらな患者《かんじゃ》さんの採寸などもこなさなくてはなりません。

とはいえ、義肢装具士《ぎしそうぐし》養成校に通う女性は増えてきており、現場でも女性義肢《ぎし》装具士《そうぐし》のニーズがあります。採寸や採型の際に男性の義肢装具士《ぎしそうぐし》にふれられることに抵抗《ていこう》を感じる女性の患者《かんじゃ》さんもいるため、実際、女性の患者《かんじゃ》さんが多い医療《いりょう》機関から、「女性の義肢装具士《ぎしそうぐし》をお願いします」というリクエストが入ることも。特に、思春期の女性に多い脊柱側弯症《せきちゅうそくわんしょう》（背骨が左右に曲がる病気）では、治療用《ちりょうよう》コルセットを製作するためにぴったりした薄手《うすで》のTシャツ1枚になって型をとるため、女性の義肢装具士《ぎしそうぐし》のほうが患者《かんじゃ》さんの抵抗感《ていこうかん》は少ないでしょう。

また、乳がんで乳房《にゅうぼう》を失った人のための人工乳房《にゅうぼう》の製作も、女性の義肢装具士《ぎしそうぐし》が活躍《かつやく》しやすい分野です。同じ女性として、患者《かんじゃ》さんの悩《なや》みに寄りそうことが期待されています。

義肢《ぎし》装具は手づくりで製作される部分も多いため、手先の器用さがいかせます。女性の義肢装具士《ぎしそうぐし》の数がまだまだ少ないこともあり、医療《いりょう》現場でのニーズは高くなっています。

義足ができるまでの工程

義足は使う人に合わせたオーダーメイド。最も技術が問われるのが、足と義足のつなぎ目にあたるソケットという部分の製作です。ソケットがぴったり合っていないと、歩行時に痛みが出たり、断端《だんたん》を傷つけたりしてしまいます。

❶ ギプス採型

ぴったりと合うソケットをつくるために、断端《だんたん》の型をとります。ライナーをかぶせてラップを巻き、骨の位置など必要なポイントに印をつけたあと、石膏《せっこう》のついた包帯をお湯でぬらして巻きます。8～10分ほどおいてかたまったらとり外します。

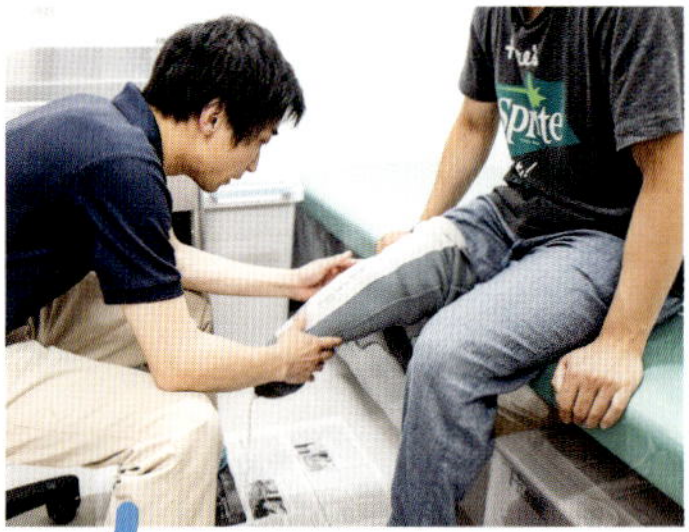

採型する前に、ライナーがきちんと断端《だんたん》にフィットしているかどうかチェック。

手でさわって骨の位置や出っぱり具合などを確かめながら、ラップの上からペンで印をつけます。

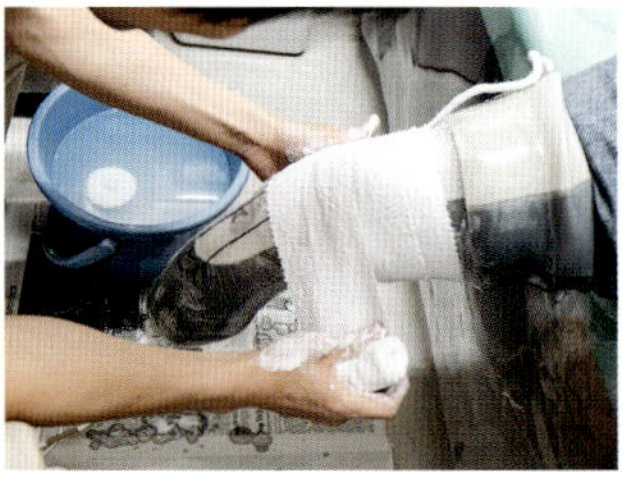

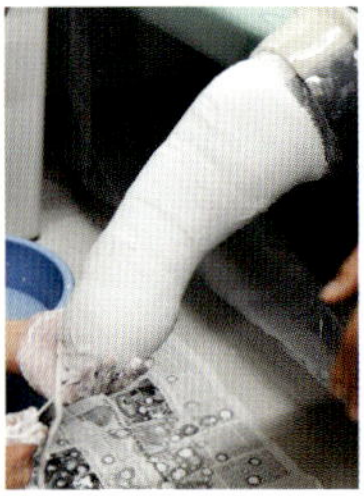

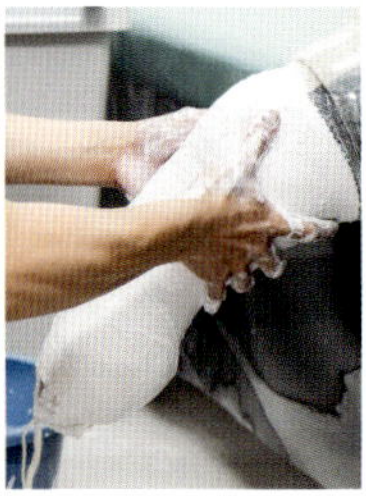

ぬらした石膏《せっこう》包帯を巻いていき、巻き終えたら、包帯がぴったりとそうように手で形を整えます。

チェック!!

義足はライナーを装着してはくのが主流

断端《だんたん》を直接ソケットに入れて義足をはく場合もありますが、最近は、断端《だんたん》にライナーというものをかぶせて義足をはく方法が主流です。ライナーはやわらかい素材でできているので、断端《だんたん》の皮膚《ひふ》がこすれて傷ができることもなく、ソケットにもフィットしやすいという利点があります。

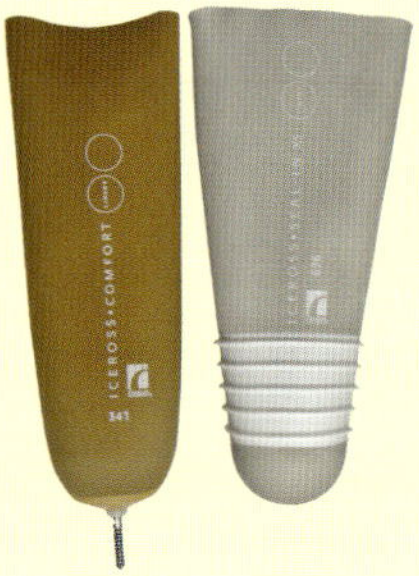

❷石膏《せっこう》モデルの作成

ユーザーさんの足からとった型に石膏《せっこう》を流しこみます。石膏《せっこう》がかたまったら、外側の型を外して石膏《せっこう》モデルをとり出します。

流しこんだ石膏《せっこう》を外しやすいよう、あらかじめ型の内側にはせっけん水をぬっておきます。

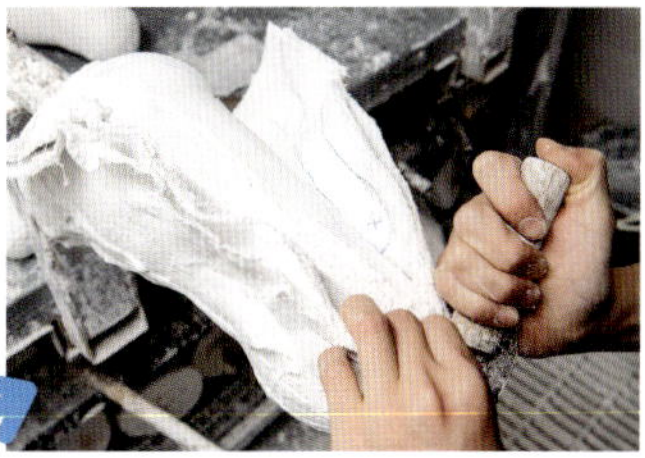

❸石膏《せっこう》モデルの修正

こうしてできたユーザーさんの足と同じ大きさ、同じ形の石膏《せっこう》モデルを、やすりでけずったりしながら整えていきます。骨の出っぱっている部分や、動かしたときの形の変化など、ギプス採型をするときに確認《かくにん》したポイントに気をつけて修正します。

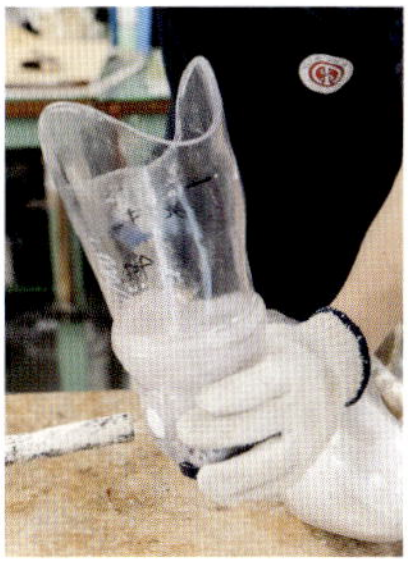

チェック用ソケットが透明《とうめい》なのは、皮膚《ひふ》のあたり具合などを外から見て確認《かくにん》するため。

❹ソケットの作成

オーブンで熱したプラスチック板を石膏《せっこう》モデルにかぶせ、下から吸引してぴったりとそわせます。こうしてできるのが透明《とうめい》のチェック用ソケット。これを使って仮合わせを行い、調整を重ねたあと、今度は本番用の素材を使ってソケットを作成します。

❺パーツの組み立て

できあがったソケットに、足部やパイプなどをつないだら完成！ 使う人の生活スタイルや運動量などに合わせて、最適な部品を選んで組み立てる技術も問われます。

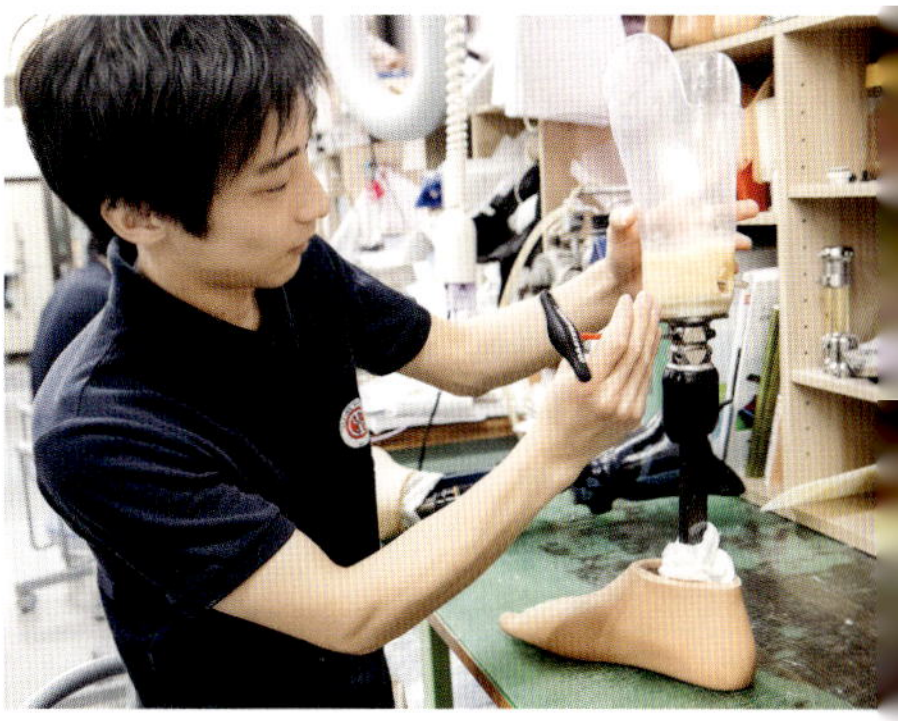

13:00

病院へ出発

?

病院へは
何をしに行くの？

担当する医療《いりょう》機関の数は義肢装具士《ぎしそうぐし》によってまちまち。多くの担当をもち、臨床《りんしょう》業務が中心で製作はあまりしていない義肢装具士《ぎしそうぐし》もいます。

患者《かんじゃ》さんの採寸や採型、適合は取引先の医療《いりょう》機関で行います

義肢装具士《ぎしそうぐし》の仕事のうち、患者《かんじゃ》さんの体にふれて採寸や採型、適合を行うことを「臨《りん》床《しょう》」といいます。義肢装具士《ぎしそうぐし》は製作所に勤務するのが一般的《いっぱんてき》なので、出入り業者として、提携《ていけい》している医療《いりょう》機関を定期的に訪《おとず》れ、臨《りん》床《しょう》業務を行います。この製作所は、首都圏《しゅとけん》の100近くの医療《いりょう》機関と提携《ていけい》しており、それぞれの医療《いりょう》機関を担当する義肢装具士《ぎしそうぐし》が定期的に訪問しています。

この日は週1回の病院での臨床《りんしょう》業務の日。前の週に採寸や採型を行った患者《かんじゃ》さんには完成させた義肢《ぎし》装具を適合させるために、初めて会う患者《かんじゃ》さんには採寸や採型を行うために、必要な道具を車に積みこみます。比較《ひかく》的《てき》規模の大きな病院に行く日は、半日から1日は、病院内での臨床《りんしょう》業務になります。もち運ぶ荷物が多いため、自ら運転する車で移動。自動車の運転免許《めんきょ》が必須《ひっす》です。

13:30

病院での臨床《りんしょう》業務

医師とはどう連携《れんけい》するの？

撮影協力：公益財団法人日産厚生会玉川病院

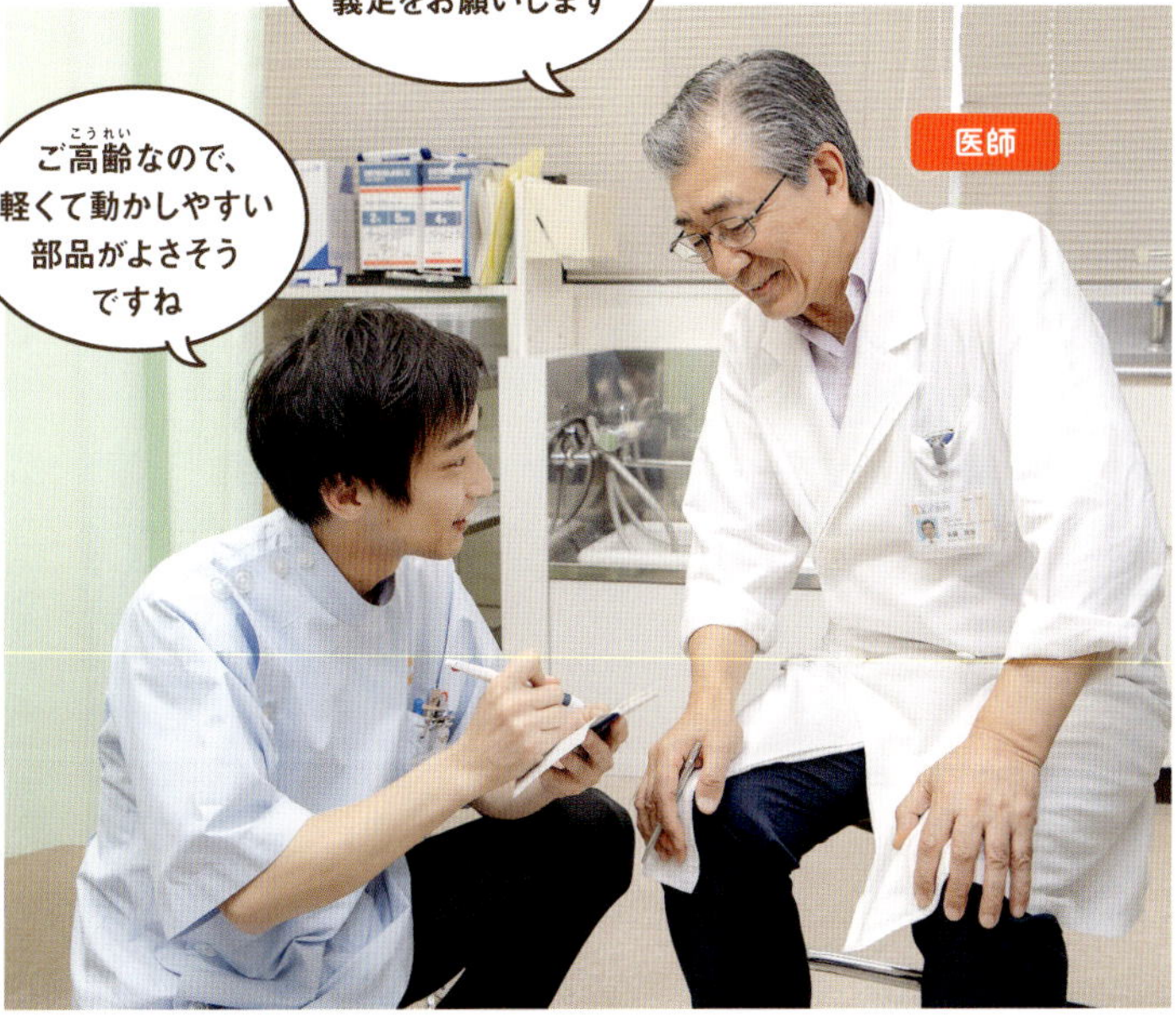
糖尿病《とうにょうびょう》で
右足切断の患者《かんじゃ》さんの
義足をお願いします

手足を切断することになる理由は、事故やケガのほか、糖尿病《とうにょうびょう》の合併症《がっぺいしょう》も少なくありません。義足が適応するかどうか、医師から義肢装具士《ぎしそうぐし》としての意見を求められることも。

最適な義肢《ぎし》装具をつくるために医師と情報共有を行います

義肢装具士《ぎしそうぐし》は、医師の指示のもとに義肢《ぎし》装具の製作や適合を行う医療職《いりょうしょく》です。病院に着いたら、まずはカルテをチェックして、医師からの指示を確認《かくにん》。患者《かんじゃ》さんの症状《しょうじょう》、必要な義肢《ぎし》装具の種類を確かめ、治療《ちりょう》に必要なものをつくるために患者《かんじゃ》さんの採寸や採型を行います。判断に迷う点があれば、医師の指示をあおぎます。

医師から指示を受けるばかりではなく、意見を求められる場面も少なくありません。義肢《ぎし》装具の部品や素材については、医師よりも義肢装具士《ぎしそうぐし》のほうがくわしい知識をもっているため、医師に情報を提供します。また、足を切断した患者《かんじゃ》さんは、切断部位の変化によって訓練用の仮義足が合わなくなることがあるので、医師や理学療法士《りがくりょうほうし》と意見交《こう》換《かん》をしながら、義足の調整を行います。このように他職種との連携《れんけい》は欠かせません。

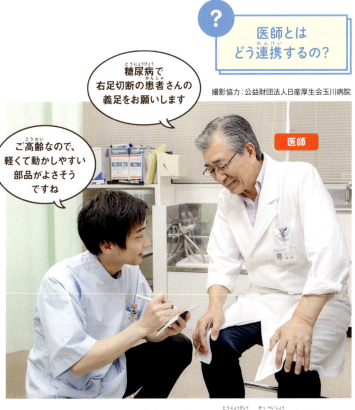

製作することが多いのは、どんな義《ぎ》肢《し》装具？

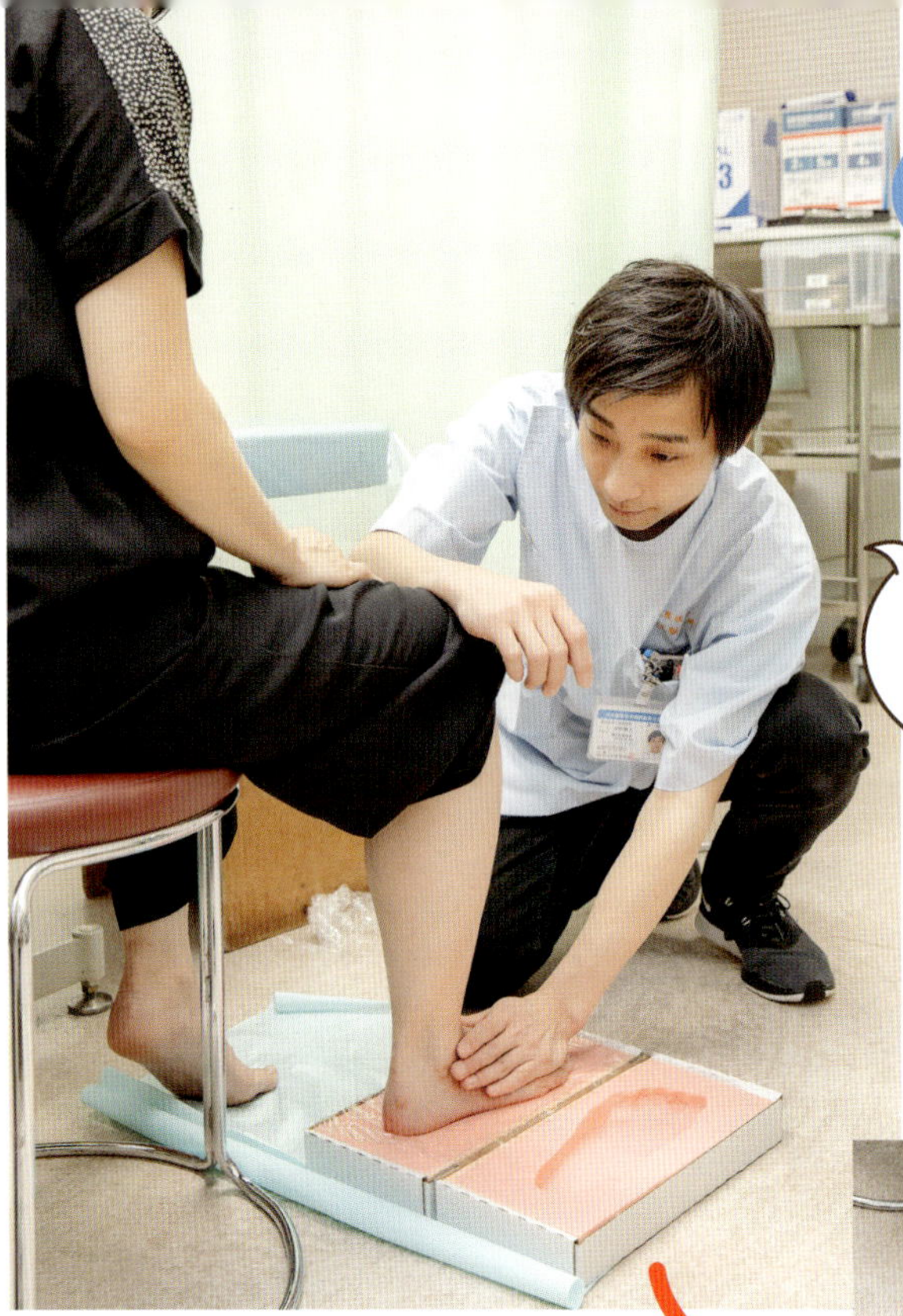

撮影協力：公益財団法人日産厚生会玉川病院

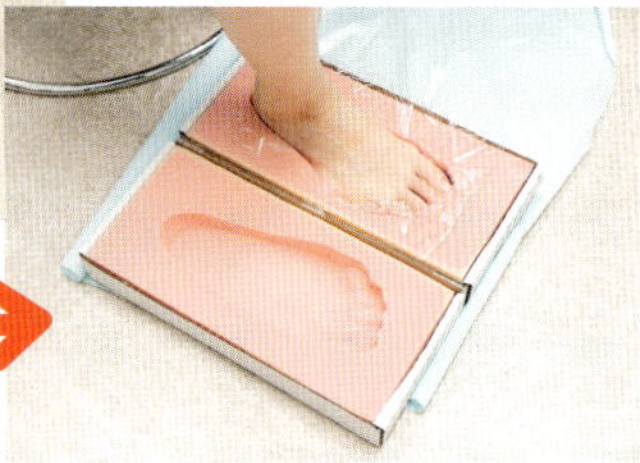

スポンジのような素材でできた専用のシートに足をおしつけて採型。足裏にタコやウオノメがあれば位置をチェックしておき、製作の参考にします。

コルセットやインソールなどの治《ち》療《りょう》用装具を多く製作します

特に多いのは、コルセットとインソールです。インソールは靴《くつ》の中にしいて使う装具で、外《がい》反《はん》母《ぼ》趾《し》（16ページ）や扁《へん》平《ぺい》足《そく》、慢《まん》性《せい》的《てき》な足の痛みなどの治《ち》療《りょう》に用います。オーダーメイドで製作する場合もあれば、商品としてできているものを調整して適合させる場合もあります。需《じゅ》要《よう》は多く、インソールを専門とする義《ぎ》肢《し》装《そう》具《ぐ》士《し》もいるほどです。

採型や採寸の前に、まずは皮《ひ》膚《ふ》の色ややわらかさ、関節のやわらかさ、立ったときのバランスなどを確《かく》認《にん》します。また、どんなときに痛みが生じるかなどを聞いて、製作や適合の参考にします。オーダーメイドの場合は、専用のシートを使って足裏を採型。会社で患《かん》者《じゃ》さんの足の石《せっ》膏《こう》モデルをつくり、これをもとにしてインソールを製作します。できているものを調整して適合させる場合は、必要な部位を細かく採寸します。

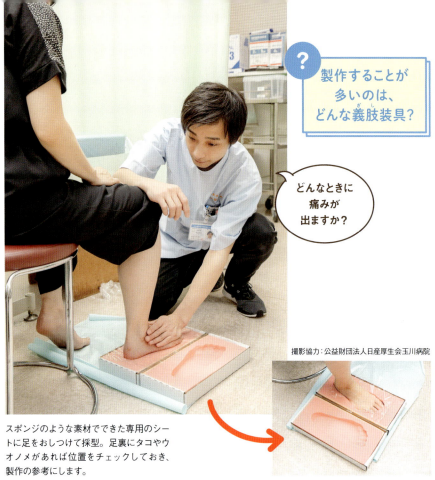

コルセットって なんのためにするの?

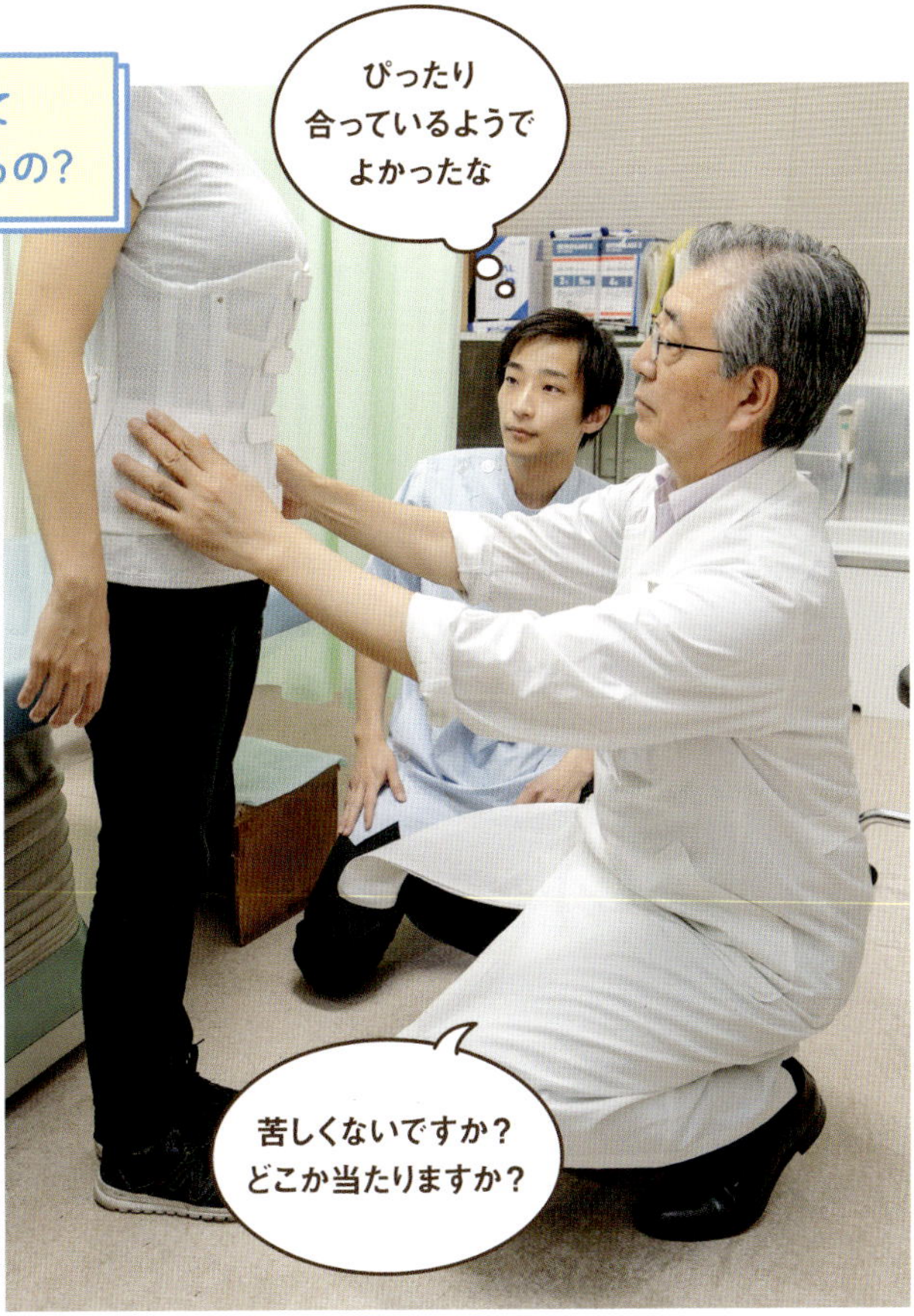

ぴったり 合っているようで よかったな
苦しくないですか? どこか当たりますか?

医師とともに適合を最終確認《かくにん》。目的に合わせたコルセットに仕上がっているか、つけ心地は苦しくないかなどをチェックします。義肢装具士《ぎしそうぐし》は高度な製作技術に加え、人体の構造に関する知識も必要です。

撮影協力：公益財団法人日産厚生会玉川病院

体に合うものを装着して 治療《ちりょう》や身体機能を補います

インソールとともに需要《じゅよう》が多いコルセットは、背骨の骨折や腰椎椎間板《ようついついかんばん》ヘルニア（20ページ）、すべり症《しょう》（※）などの治療《ちりょう》に用いられます。腹部を圧迫《あっぱく》することで背骨の負担を軽減するとともに、背骨の運動を制限することで痛みをやわらげます。布製のコルセットをつくるときには、患者《かんじゃ》さんの胴《どう》周りなど数か所を正しく採寸。プラスチック製のかたいコルセットをつくるには、石膏《せっこう》で胴《どう》周りの型をとる工程が必要です。どちらも正確に採寸、採型してつくり上げ、一人ひとりに適合させなくてはなりません。

病院での臨床《りんしょう》業務は週1回なので、翌週には完成したコルセットを患者《かんじゃ》さんにわたせるようにしていますが、仮合わせを行い、確《かく》認《にん》したうえで仕上げる場合もあります。最終的には医師にも確認《かくにん》してもらい、目的に応じた装具になっていれば納品です。

※すべり症《しょう》：本来きれいに並んでいるはずの腰椎《ようつい》（腰《こし》の骨）が前後にずれてしまう病気。神経が圧迫《あっぱく》され、痛みやしびれが生じる。

？ 義肢《ぎし》装具の価格はどれくらいなの？

撮影協力：公益財団法人日産厚生会玉川病院

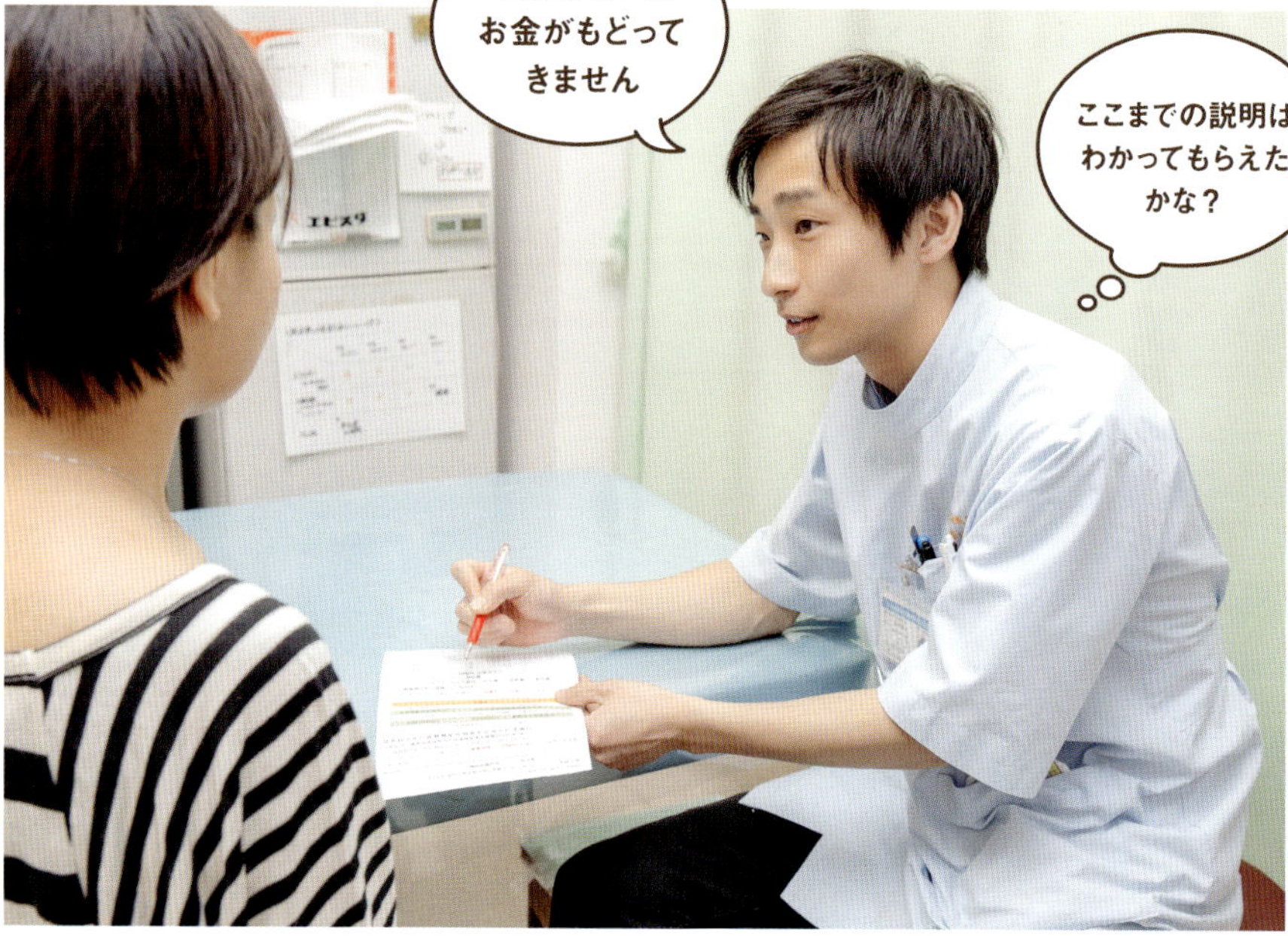
申請《しんせい》しないとお金がもどってきません

医療《いりょう》保険が適用されることを伝えると、患者《かんじゃ》さんは安心した表情に。ただし患者《かんじゃ》さんが自分で申請《しんせい》する必要があるため、申請《しんせい》方法をわかりやすく説明します。

オーダーメイドなので高め。でも1～3割の負担でつくれます

義肢《ぎし》装具は一人ひとりに合わせた特注品なので、一般的《いっぱんてき》な布製のコルセットが3万円弱、プラスチック製が5万円前後と、価格は高めです。しかし、治療用義肢《ちりょうようぎし》装具は医療《いりょう》保険の対象となりますし、障がいがある人が使う更生用義肢《こうせいようぎし》装具も法律によって費用の一部が支給される仕組みがあるため、実際の価格の1～3割の負担で済みます。

ただし、こうした制度を利用するには手続きが必要です。いったん患者《かんじゃ》さんが全額を製作所に支払《しはら》い、後日、自分で手続きを行って保険者に認められた場合、お金がもどってきます。あとでトラブルにならないよう、申《しん》請《せい》や支給の手順をきちんと患者《かんじゃ》さんに説明することも、義肢装具士《ぎしそうぐし》の大切な仕事の一つなのです。養成校では制度の基本的なしくみを学ぶだけなので、患者《かんじゃ》さんへの説明の仕方は入社後に覚えることがほとんどです。

COLUMN

義《ぎ》肢《し》装具をつくるための条件

治《ち》療《りょう》用《よう》義《ぎ》肢《し》装具には医師の処方が必要。
更《こう》生《せい》用《よう》義《ぎ》肢《し》装具は申《しん》請《せい》が通れば、直接製作所に依《い》頼《らい》してつくります

義《ぎ》肢《し》装具の製作は医師の処方から始まります。医師から「この患《かん》者《じゃ》さんにこのような義《ぎ》肢《し》装具をつくってください」と指示があったら、義《ぎ》肢《し》装《そう》具《ぐ》士《し》は患《かん》者《じゃ》さんに会って、採寸や採型を行い、義《ぎ》肢《し》装具を製作します。医師が診《しん》断《だん》して「治《ち》療《りょう》用《よう》義《ぎ》肢《し》装具」としてつくられるため、医《い》療《りょう》保険が適用になります。ただし、店頭やインターネットの通信販《はん》売《ばい》などでサポーターやコルセットを購入しても、保険は適用されません。

一方、治《ち》療《りょう》を終えたあとに障がいが残った場合や、生まれつきの手足の欠損などで義《ぎ》肢《し》装具を必要とする場合は、「更《こう》生《せい》用《よう》義《ぎ》肢《し》装具」となり、利用者が市町村の福《ふく》祉《し》事務所に申《しん》請《せい》して製作することになります。医学的に義《ぎ》肢《し》装具が必要であると認められれば、製作にかかる費用の一部が支給される制度を利用することができます。この場合、利用者は直接製作所を訪《おとず》れて製作を依《い》頼《らい》することになります。

ちなみに、スポーツ用義足は保険適用外で、全額自己負担です。しかも、1本当たりおよそ数十万円と高価なため、障がいをもつ人がスポーツをやりたいと思っても、気軽に挑《ちょう》戦《せん》しづらい事情があります。そこで、義《ぎ》肢《し》装《そう》具《ぐ》士《し》のなかには、スポーツ用義足を体験できる教室を開くなど、パラスポーツ（障がい者スポーツ）を広める活動に力を入れている人もいます。

例えば義足の場合なら…

切断直後の訓練用義足は、医師の処方にもとづいて義《ぎ》肢《し》装《そう》具《ぐ》士《し》が製作。医《い》療《りょう》保険が適用されます。

2本目以降、日常的に使う義足は、市町村の福《ふく》祉《し》事務所に申《しん》請《せい》したあと、直接製作所に製作を依《い》頼《らい》します。

義肢《ぎし》装具の種類いろいろ

義肢装具士《ぎしそうぐし》が製作する義肢《ぎし》装具にはどんな種類があるのでしょう。ここで紹介《しょうかい》するものは代表的な義肢《ぎし》装具です。これ以外にも、医師から処方を受ければ、どんなものでもオーダーメイドで製作します。

義足

多くの義足には歩く機能が求められます。欠損部位がひざ上なら大《だい》腿《たい》義足、ひざ下なら下《か》腿《たい》義足となります。動きや強度などを使用する人の生活スタイルに合わせるためには、パーツ選びも重要です。

大《だい》腿《たい》義足

下《か》腿《たい》義足

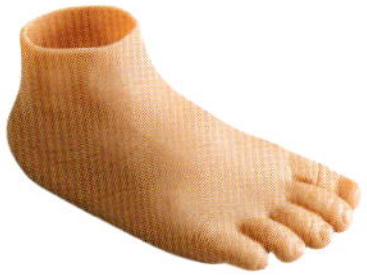

カバー

義足にかぶせて、見た目を整えるものです。海やプールで使える防水タイプなど、使い道に合わせたものが選べます。

チェック!!

スポーツをするための義足もあります

ふつうの義足ではできない激しい動きに対応できるのが、スポーツ用義足。陸上競技用のものが最も代表的です。ソケットの下の足部に軽くてかたい素材でできた板を使用し、強い反発力を利用して走る動きを可能にしています。競技の種類によって適したパーツを使い分けます。

装具

装具とは体の機能に障がいがある人が装着して、機能を回復させたり、機能の低下を補ったりするもので、治療用《ちりょうよう》と更生用《こうせいよう》に分けられます。

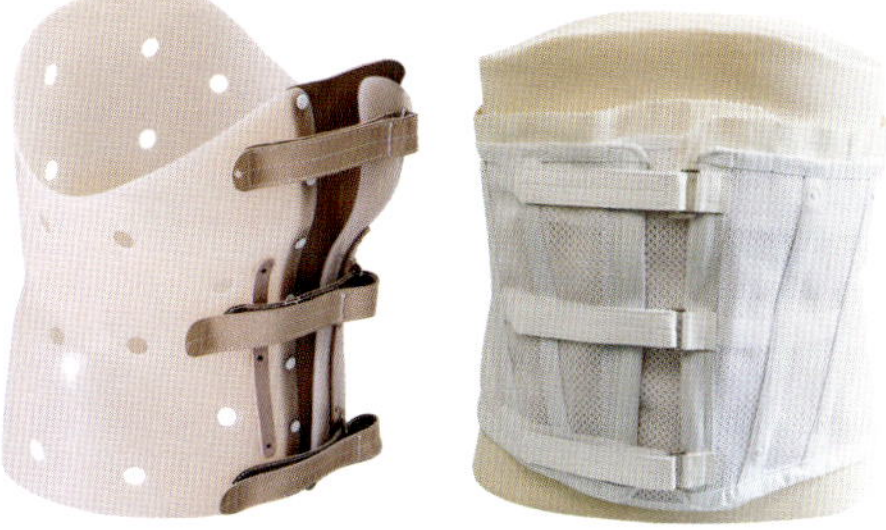

体幹装具

腰《こし》や背中、首などにつける装具の総称。おもに製作するのはコルセットで、ほとんどが治療用《ちりょうよう》に使われます。

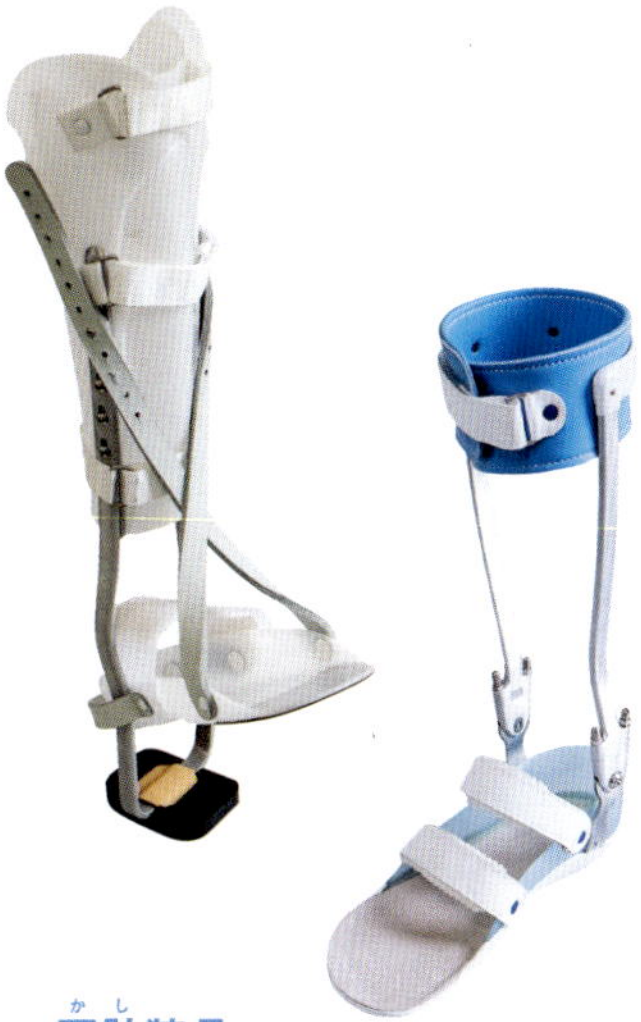

下肢《かし》装具

足につける装具の総称。麻痺《まひ》が残った人の更生用《こうせいよう》装具、骨折や靭帯《じんたい》損傷の治療用《ちりょうよう》装具、ひざのサポーターなどがあります。

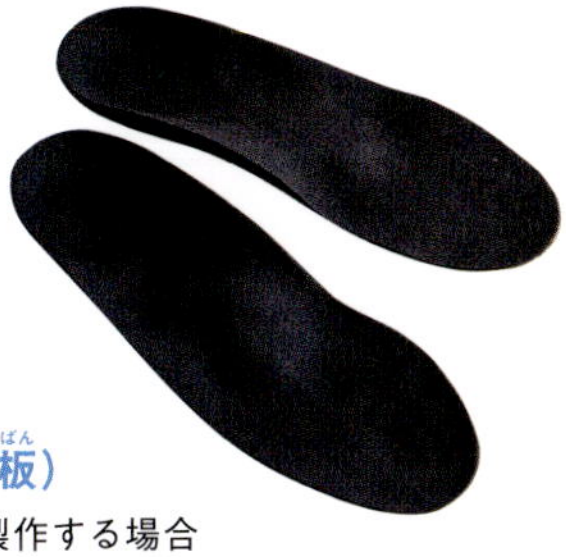

インソール（足底板《そくていばん》）

オーダーメイドで製作する場合と、商品としてできているものを義肢装具士《ぎしそうぐし》が調整して使う場合があります。できているものをそのまま使うこともあります。

義手

見た目を整える目的の装飾《そうしょく》義手と、機能的に動かせる能動義手があります。片手切断の場合、日常生活の多くを残った手だけで行えるため、能動義手よりも装飾《そうしょく》義手が多く必要とされます。

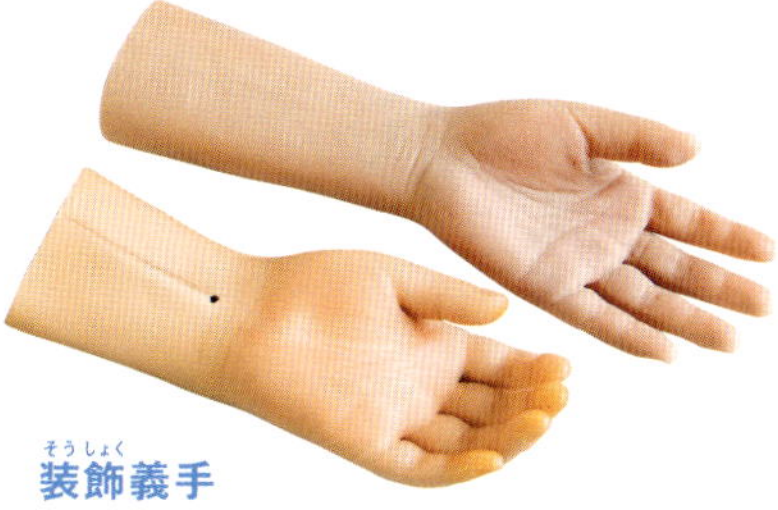

装飾《そうしょく》義手

16:30 事務作業

デスクワークもあるの？

まちがっているところはないかな？

製作所で直接依頼《いらい》を受けた義足については、費用の見積書などをつくるのも義肢装具士《ぎしそうぐし》の仕事。

患者《かんじゃ》さんの情報を書類にまとめ、製作部署に発注します

病院からもどったら、その日に採寸や採型をした患者《かんじゃ》さんのデータを書類にまとめます。この会社にはコルセットを製作する専門部署があり、分業制でスピーディに納品できるようにしているので、この部署に情報を伝える必要があるのです。最適な装具をつくってもらうために、採寸した数字のほかにも、体型や背骨の曲がり具合を絵にかくなどして、わかりやすく情報を共有。ときには口頭で伝えることもあります。小規模な製作所では、採寸、採型から製作までを一人の義《ぎ》肢装具士《しそうぐし》が行う場合もあります。

ほかにも、義肢装具士《ぎしそうぐし》が作成すべき書類はいくつかあり、デスクワークの時間は毎日多少ありますが、あくまで仕事の中心は製作と臨床《りんしょう》です。急ぎの仕事があれば、会社にもどってから製作の続きにとり組むこともありますが、通常は17時30分で終業です。

17:30 終業

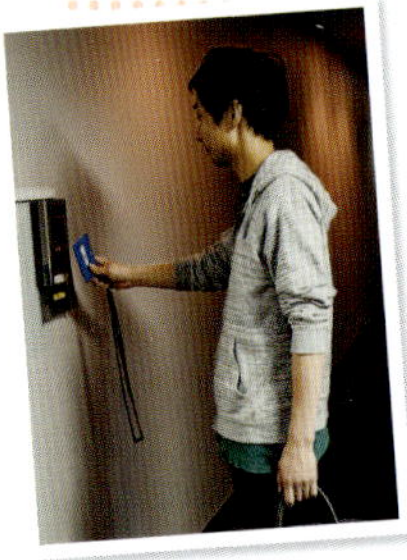

おつかれさまでした！

COLUMN

学会などにも積極的に参加

学会発表やセミナーへの参加も。新たな技術や知識を学び続け、義肢装具士《ぎしそうぐし》としてのレベルアップをはかります

　義肢装具士《ぎしそうぐし》が使うパーツや素材は常に進化しています。毎日の仕事のかたわら、最新の義肢《ぎし》装具について学び続けている義肢装具士《ぎしそうぐし》はたくさんいます。

　特に年２回行われる義肢《ぎし》装具学会は、貴重な学びの場です。難しい症例《しょうれい》(病気やケガの症状《しょうじょう》の例)の報告などは、現場で目にすることが少ないため、とても勉強になります。また、講演を聴《き》くだけでなく、自ら発表も行います。テーマはさまざまですが、新しい製品を使ったときなどは、積極的に発表します。例えば、義足をはくときにかぶせるライナー(24ページ)は、使用中に汗《あせ》をかきやすいのが難点です。メーカーから汗《あせ》を防ぐ新素材のライナーが発売されたと聞けば、ユーザーさんに使ってもらい、汗《あせ》の量や皮膚《ひふ》の温度などを計測。検証結果をグラフにまとめて学会で発表します。学会での発表をひかえているときは、準備のために残業をすることも多くなりますが、常に患者《かんじゃ》さんやユーザーさんにとって快適な義肢《ぎし》装具を提供するために、研究、発信を続けるのはだいじなことです。

　学会だけでなく、義肢《ぎし》装具のパーツメーカーや、輸入代理店などによる商品説明会にも積極的に参加して、最新の知識や技術を日々の仕事にいかしています。

パーツや素材は常に進化しています。よいものが登場すれば積極的にとり入れ、学会やセミナーで報告して、ほかの義肢装具士《ぎしそうぐし》と情報を共有します。

INTERVIEW 1

スポーツ用義肢《ぎし》装具をあつかう義肢装具士《ぎしそうぐし》

沖野《おきの》 敦郎《あつお》さん
オスポ（オキノスポーツ義肢《ぎし》装具）
義肢装具士《ぎしそうぐし》

これで速く
走れるかな？

スポーツ現場まで出向き、実際の動きを見ながら調整。平日だけでなく、土曜日や祝日も対応しています。

もっときつく
してください

上半身につける装具や義手によって体全体のバランスが整い、よい記録が出せる場合もあります。

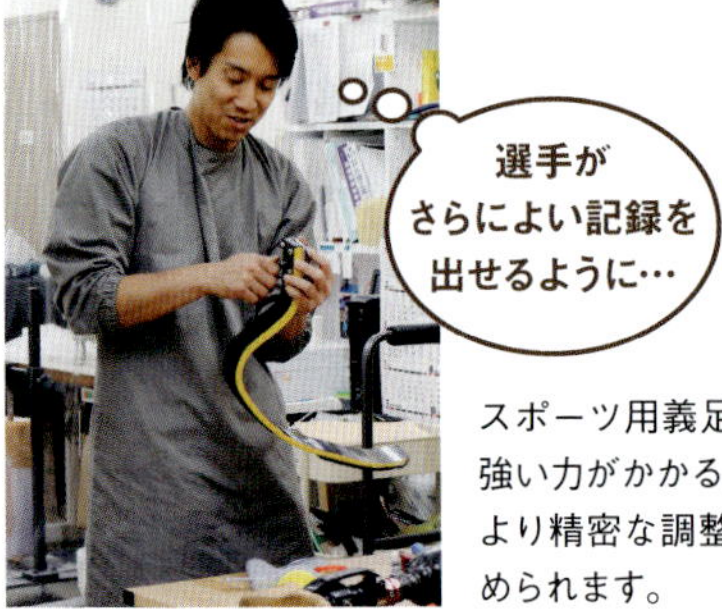
選手が
さらによい記録を
出せるように…

スポーツ用義足には強い力がかかるため、より精密な調整が求められます。

これで
走れるよ！

月に1回、スポーツ用義足を体験できるランニング教室*も開催《かいさい》しています。

Q1 どんな仕事をしているのですか？

スポーツ用義肢《ぎし》装具は、体に欠損や障がいのある選手の競技力を向上させるためのものです。選手と密に情報交換《こうかん》を行いながら「オンリーワン」の義肢《ぎし》装具を製作していきます。製作所で義肢《ぎし》装具をつくるだけでなく、実際に選手が義肢《ぎし》装具を使っている競技場などに足を運び、どのような動作を行っているのかを見て製作にいかしたり、試合や練習に同行して義肢《ぎし》装具の調整を行ったりすることも必要です。よりよいスポーツ用義肢《ぎし》装具にたどり着くには、失敗や挫折《ざせつ》もありますが、しんぼう強く選手に寄りそっていくことがだいじです。

Q2 おもしろいところややりがいは？

私が製作したスポーツ用義肢《ぎし》装具を選手が装着して、新記録を出したり、よいプレーができたりしたときは、非常にうれしく思います。選手に成果を出してもらうために製作していますから。ただし、あくまでも義肢《ぎし》装具を使いこなすのは選手自身であることを忘れてはいけません。スポーツ用義肢《ぎし》装具は、選手が100%の力を発揮できるようにすることはできても、それ以上の力を発揮させることはできないのです。選手の100%の力に対して、100%でこたえられる義肢《ぎし》装具をつくることを心がけています。

Q3 なぜこの仕事に就《つ》いたのですか？

大学時代は、工学部でロボットの研究をしながら、陸上競技部に所属していました。将来は医療用《いりょうよう》ロボットの研究開発を職業にしようと考えていました。しかし、偶然《ぐうぜん》見たパラリンピックの陸上競技のテレビ中継《ちゅうけい》で、義足をつけて走る選手の姿に衝撃《しょうげき》を受けました。その光景を見て、学業として学んでいた技術と、趣味《しゅみ》で行っていた陸上競技を結びつけ、スポーツ用義足をつくる義肢《ぎし》装具士《そうぐし》になろうと思ったのです。一般《いっぱん》の企業《きぎょう》では時間的な制約があり、選手からの急な要望などに対応しきれないため、自ら起業することにしました。

スポーツ用義足を体験できるランニング教室

スポーツ用義足は高価なうえに保険が適用されないため、ユーザーさんの金額的な負担が大きく、気軽に製作できるものではありません。沖野《おきの》さんは月に1回、子どもから大人まで、義足で走りたい人ならだれでも参加できるランニング教室を開催《かいさい》。実際にスポーツ用義足を体験してもらうことで、スポーツに挑戦《ちょうせん》するきっかけを提供しています。

インタビュー編
いろいろな場所で働く
義肢装具士《ぎしそうぐし》さん

INTERVIEW 2

靴《くつ》をあつかう
義肢装具士《ぎしそうぐし》

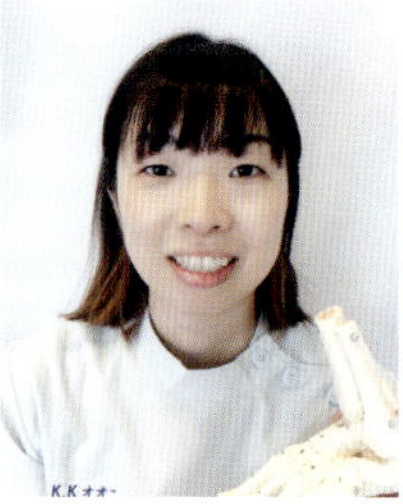

吉野《よしの》 多恵子《たえこ》さん
大仁《おおに》商店
義肢装具士《ぎしそうぐし》

フットプリントといって、足の裏のスタンプのようなものをとります。足の大きさだけでなく、どこに体重がかかっているかなどを簡単に調べることができます。

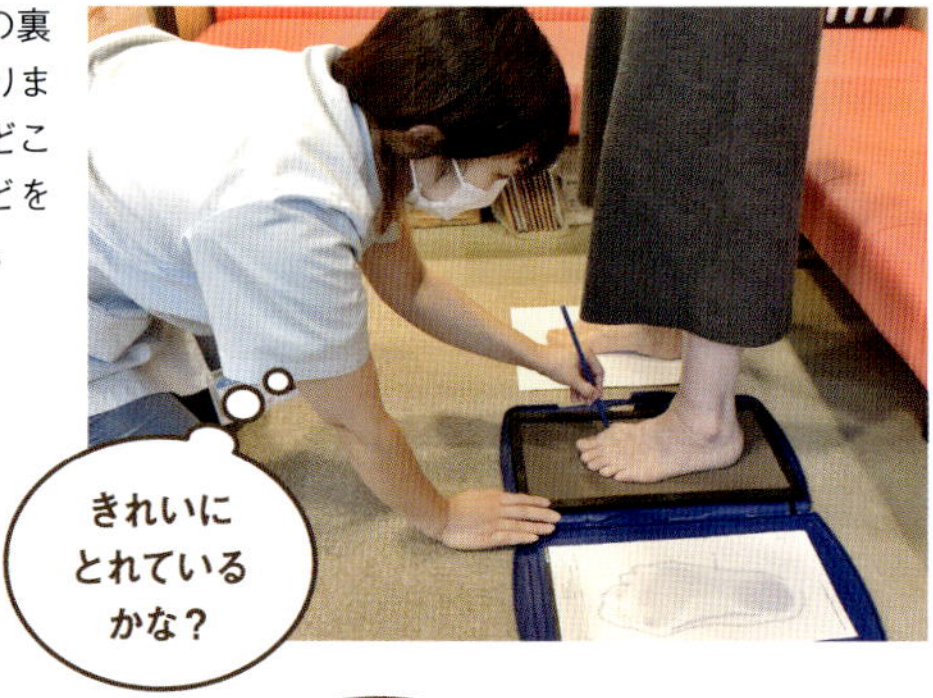

きれいにとれているかな？

ひと針ひと針ていねいに…

専用のミシンで皮革をぬい合わせ、靴《くつ》底《ぞこ》を除く上の部分（アッパー）を完成させます。革《かわ》は、患者《かんじゃ》さんに合わせてつくれるよう、色、かたさ、厚さなどさまざまなものを50種類ほどそろえてあります。

設計したとおりにできているかな？

作製した靴型《くつがた》を修正しているところ。靴型《くつがた》は靴《くつ》のもとになるだいじなものです。

Q1 どんな仕事をしているのですか?

おもに病院の装具外来に行って、医師の処方にもとづき患者《かんじゃ》さんの採寸、採型を行います。病院で得た情報やモデルをもとに靴型《くつがた》*を作製します。靴型《くつがた》をもとに型紙を起こし、皮革を裁断してぬい合わせ、つりこみ*、底づけ*の作業を経て仮合わせ用の靴《くつ》をつくります。仮合わせは、再び病院の装具外来にて、医師や医療《いりょう》スタッフといっしょに患者《かんじゃ》さんへの適合を確認《かくにん》します。修正するところがあれば調整して、靴型《くつがた》装具の完成です。完成した靴《くつ》も、医師や医療《いりょう》スタッフと適合の確認《かくにん》をしてから、患者《かんじゃ》さんにわたすことになります。

Q2 おもしろいところややりがいは?

靴《くつ》は生活をするうえでとても重要なものだと思います。合わない靴《くつ》をはいて出かけ、外出先で痛い思いをしたことがある人は少なくないのではないでしょうか。ほかの装具と比べ、靴型《くつがた》装具は機能性だけでなくデザインも重要です。子どもに合わせた色づかい、女性向けのデザイン、通勤用のビジネスシューズなど、患者《かんじゃ》さんの希望や生活スタイルに合わせた設計をしています。患者《かんじゃ》さんに合う靴型《くつがた》装具を製作することで、生活の質を向上させるお手伝いができるところに、とてもやりがいを感じます。

Q3 なぜこの仕事に就《つ》いたのですか?

義肢装具士《ぎしそうぐし》という仕事を知ったのは、高校生のときに見たテレビ番組がきっかけです。ものづくりが好きで、家族も医療《いりょう》にたずさわっていたので興味をもちました。また、そのころホームステイに行ったオーストラリアで、通学中に義足の女の子を見かけ、義肢装具士《ぎしそうぐし》になりたいという気持ちが強くなりました。養成校に入学して勉強するなかで、「靴型《くつがた》装具」というものがあることを知りました。日常に欠かせない靴《くつ》をつくることで、足もとから人の生活を支えたいと思い、靴型《くつがた》装具を多く製作している現在の会社に就職しました。

靴型《くつがた》

患者《かんじゃ》さんの足型をもとにつくる足の模型。「木型」「ラスト」とも呼ばれる。靴《くつ》をつくる際、患者《かんじゃ》さんの足のかわりとなるモデルであり、作業台ともなる。靴《くつ》のスタイルを決定する重要な役割をになう。

つりこみ、底づけ

「つりこみ」とは、アッパー(38ページ)を靴型《くつがた》にそわせて靴《くつ》の形にする作業のこと。つりこみをしたあと、靴底《くつぞこ》をつける「底づけ」を行い、靴《くつ》が完成する。

INTERVIEW 3

福祉用具《ふくしようぐ》をあつかう 義肢装具士《ぎしそうぐし》

田子《たご》 篤史《あつし》さん

株式会社はあとふるあたご
福祉《ふくし》用具事業部 新発田《しばた》事業所 所長
義肢装具士《ぎしそうぐし》（福祉《ふくし》用具専門相談員*）

まずは、介護《かいご》を必要とする人の家族やケアマネジャー（介護支援《かいごしえん》専門員）などから話を聞き、適した福祉《ふくし》用具を考えます。

お客さまの
お体に合った
福祉《ふくし》用具は…

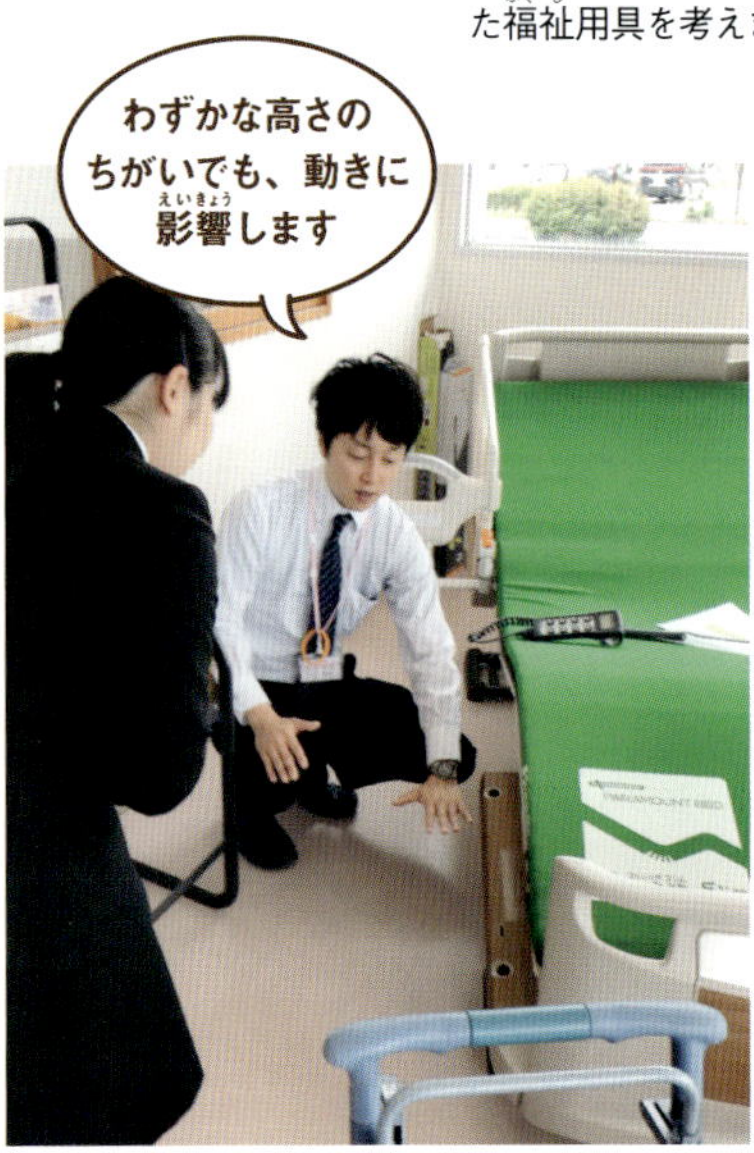
わずかな高さの
ちがいでも、動きに
影響《えいきょう》します

転倒《てんとう》を防止したり、介護《かいご》する人の負担を減らしたりするために、ベッドの高さの調整はとても重要です。

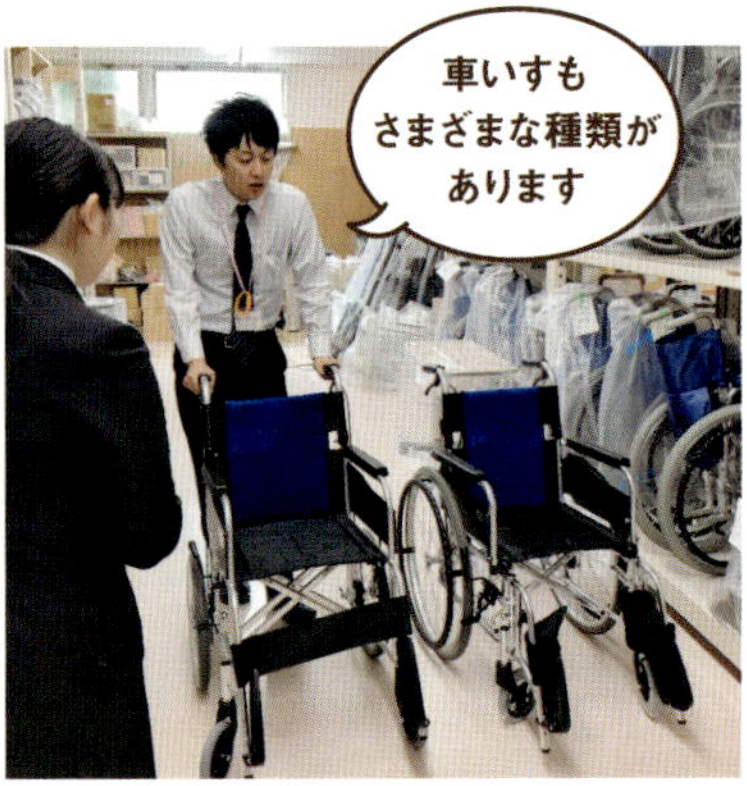
車いすも
さまざまな種類が
あります

福祉《ふくし》用具を一定期間試してもらったあと、販売またはレンタルします。その後も定期的に訪問し、使い心地などを確認《かくにん》します。

Q1 どんな仕事をしているのですか?

常に介護《かいご》が必要な状態の高齢者《こうれいしゃ》や障がい者に対し、必要な福祉《ふくし》用具の提供を行っています。例えば、寝《ね》たきりの人の介護《かいご》をしやすくするためのベッド、足が不自由な人が自分で移動するための車いす、廊下《ろうか》や段差を転ばず安全に歩行できるようにするための手すりや歩行器などを、販売《はんばい》、レンタル、住宅改修という方法で提供します。理学療法士《りがくりょうほうし》などのリハビリテーション専門職が身体機能を維持《いじ》、回復することでQOL(生活の質)の向上をはかるのに対し、私たちは福祉《ふくし》用具や住宅改修によって環境《かんきょう》を整備することでQOLの向上をはかります。

Q2 おもしろいところややりがいは?

自分の選んだ福祉《ふくし》用具が役に立つのはうれしいことです。ただ、福祉《ふくし》用具は、正しいものを選定すればQOLを向上させることができますが、合わないものは逆に命の危険につながることもあります。車いすを例にすると、不適切なものを使うことで、姿勢の不良から呼吸が浅くなったり、血流が悪くなったり、食事などの動作が困難になったりとさまざまな支障が出ます。福祉《ふくし》用具専門相談員としての知識に加え、体の構造や病気に関することなど、義肢装具士《ぎしそうぐし》としての知識も仕事にいかせていると感じます。

Q3 なぜこの仕事に就《つ》いたのですか?

高校で進路を考える際、「直接人とかかわり、人の役に立つ仕事をしたい」と思い、調べるなかで、義肢装具士《ぎしそうぐし》という職業があること、義肢装具士《ぎしそうぐし》養成校である大学が地元にあることを知り、進学を決めました。大学の臨床《りんしょう》実習で1か月ほどお世話になった福祉《ふくし》用具の会社が現在の職場です。義肢装具士《ぎしそうぐし》は義肢《ぎし》装具製作所に就職するものと思っていましたが、福祉《ふくし》用具の業界でも義肢装具《ぎしそうぐ》士《し》の資格や知識をいかしてできることが多く、高齢者《こうれいしゃ》や障がい者、その家族のQOLを向上させる役に立てるのではと思い、現在の職場に就職しました。

福祉《ふくし》用具専門相談員ってどんな資格?

福祉《ふくし》用具の選定や使用を支援《しえん》し、福祉《ふくし》用具を安全に使えるように、調整、取り扱いの説明、点検などを行う専門職です。都道府県が指定した福祉《ふくし》用具専門相談員指定講習を修了《しゅうりょう》すると資格を取得できます。義肢装具士《ぎしそうぐし》など、福祉《ふくし》用具に関する知識を有する国家資格をもつ人は、講習を修了《しゅうりょう》していなくても、福祉《ふくし》用具専門相談員として仕事をすることができます。

INTERVIEW 4

病院で働く義肢装具士《ぎしそうぐし》

村山《むらやま》 稔《みのる》さん

船橋市立リハビリテーション病院
義肢装具士《ぎしそうぐし》

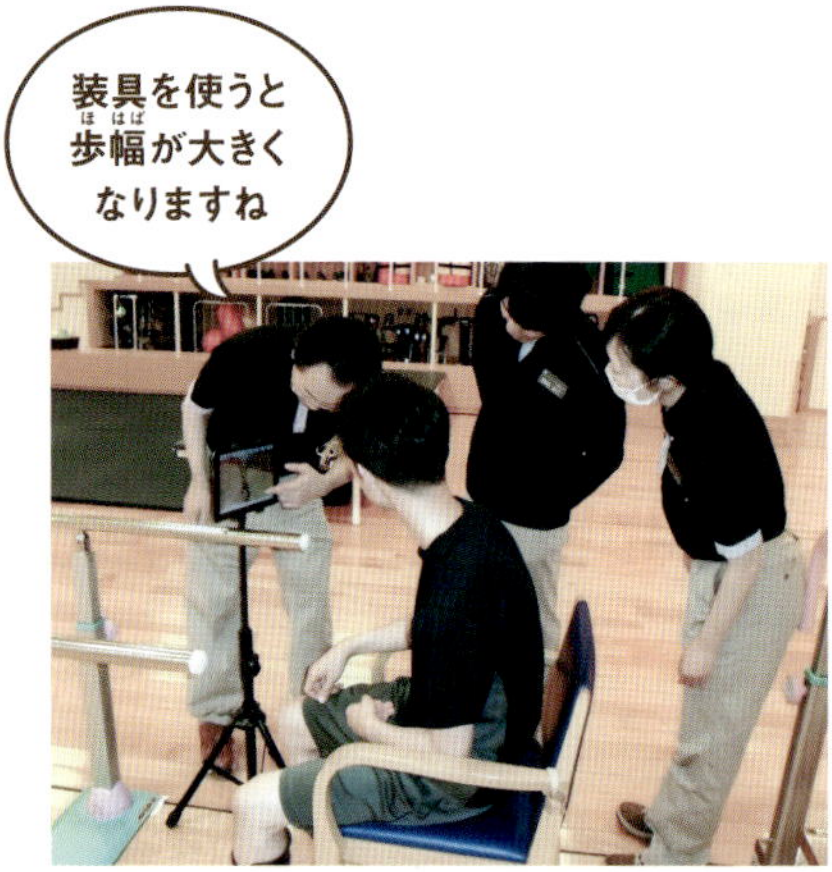
装具を使うと
歩幅《ほはば》が大きく
なりますね

患者《かんじゃ》さん自身がどんなフォームで歩いているかを知るためには、歩行のようすを動画で記録し、患者《かんじゃ》さん、理学療法士《りがくりょうほうし》、義肢装具士《ぎしそうぐし》で確認《かくにん》、分析《ぶんせき》し合うことが最良の方法です。

装具の
補助を弱めても
よさそうだな

装具検討会では、患者《かんじゃ》さんにとってどんな装具が最適か、患者《かんじゃ》さんを中心に医師、理学療法士《りがくりょうほうし》、義肢装具士《ぎしそうぐし》が検討します。

フィッティング
の微調整《びちょうせい》が
だいじだよ
歩きやすく
調整しますね

患者《かんじゃ》さんの足の形に合わせてオーダーメイドでつくられた装具をフィッティング。患者《かんじゃ》さんと理学療法士《りがくりょうほうし》と義肢装具士《ぎしそうぐし》がいっしょに、歩きやすさを確認《かくにん》していきます。

Q1 どんな仕事をしているのですか?

義肢《ぎし》装具製作所で働く義肢装具士《ぎしそうぐし》と同様に、リハビリテーション病院*に入院している患者《かんじゃ》さんの義肢《ぎし》装具を作製しますが、それ以上に大きな役割として、義《ぎ》肢《し》装具を使った治療《ちりょう》について理学療法《りがくりょうほう》士《し》や作業療法士《さぎょうりょうほうし》から相談を受けること、病院を訪《おとず》れる義肢装具士《ぎしそうぐし》に対して専門的なアドバイスや指導をすることなどがあります。リハビリテーション病院では、一人ひとりの患者《かんじゃ》さんに対して、医師、看護師、理学療法士《りがくりょうほうし》や作業療法士《さぎょうりょうほうし》、義《ぎ》肢装具士《しそうぐし》など、多くの職種が一つのチームとなり、医療《いりょう》と入院生活のサポートをしています。

Q2 おもしろいところややりがいは?

リハビリテーション病院での仕事は、患《かん》者《じゃ》さんと義肢装具士《ぎしそうぐし》が1対1で行うものではなく、患者《かんじゃ》さんを中心としてさまざまな医療《いりょう》専門職が行うチームプレーです。患者《かんじゃ》さんとチームのメンバーが、同じ目標に向けて専門性を集結することにより、相乗効果で患者《かんじゃ》さんを回復させていくのだと思います。義肢装具士《ぎしそうぐし》は、義肢《ぎし》装具を作製することから、ほかの医《い》療《りょう》専門職と比べて職人的な部分が多いと思います。その特徴的《とくちょうてき》な専門性をチームのなかで発揮できるのが、この仕事のおもしろいところです。

Q3 なぜこの仕事に就《つ》いたのですか?

私自身が高校生のときから義足を使用していたことから、義肢装具士《ぎしそうぐし》という仕事は知っていましたし、幼いころからものをつくることが好きで、ものづくりにたずさわる「職人」への強いあこがれがありました。義肢装具士《ぎしそうぐし》になる前は、まったく別の仕事をしていましたが、趣《しゅ》味《み》でトライアスロンの大会に出場していたこともあり、スポーツ用の義足の専門家になりたいと思い、勤めていた会社をやめて義肢装具士《ぎしそうぐし》の専門学校に入学。勉強するうちに、リハビリテーションの現場で義肢装具士《ぎしそうぐし》として働きたいと思い始め、現在の職場に入りました。

リハビリテーション病院ってどんなところ?

リハビリテーションとは、障がいのある人を援助《えんじょ》し、その人が可能な限り能力や機能を発揮して、社会生活を送れるようにする過程のこと。リハビリテーション病院では、病気やケガによって障がいをもった患者《かんじゃ》さんを対象に、リハビリテーションを専門的に行います。義肢装具士《ぎしそうぐし》は、義肢《ぎし》装具の専門職として、他職種とともにリハビリテーションにたずさわります。

INTERVIEW 5

海外で活躍《かつやく》する 義肢装具士《ぎしそうぐし》

宮田《みやた》 祐介《ゆうすけ》さん
国際協力機構* 青年海外協力隊*
東ティモール 国立リハビリテーションセンター
義肢《ぎし》装具部門
義肢装具士《ぎしそうぐし》

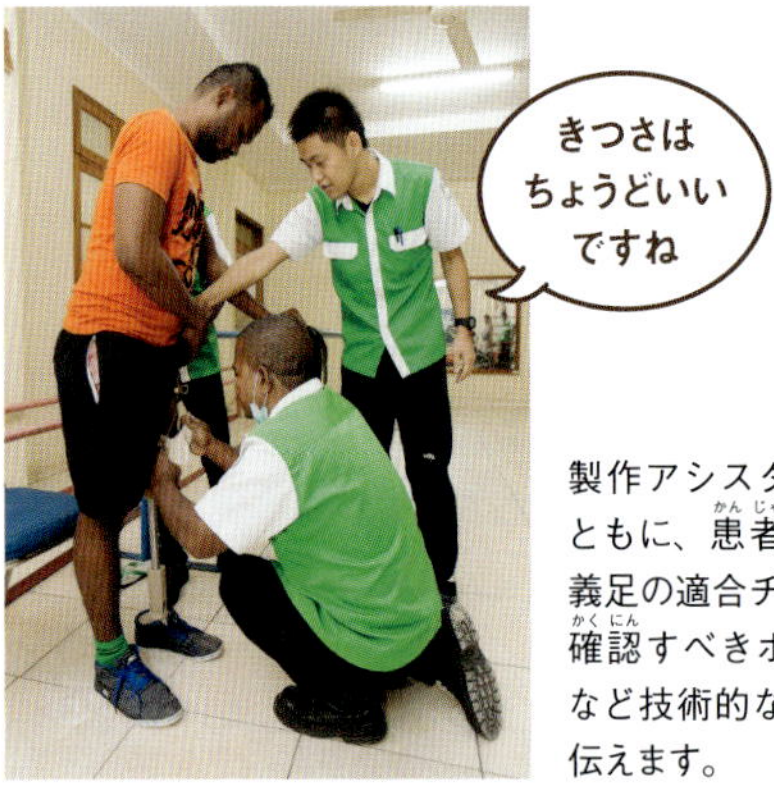
きつさは
ちょうどいい
ですね

製作アシスタントとともに、患者《かんじゃ》さんの義足の適合チェック。確認《かくにん》すべきポイントなど技術的な知識も伝えます。

ここをもう少し
けずろう

製作アシスタントに義足の製作を指導中。現在、東ティモール国内で義肢《ぎし》装具を必要とする人に対応できるのは、この国立リハビリテーションセンターだけです。

足に痛みは出て
いないかな？

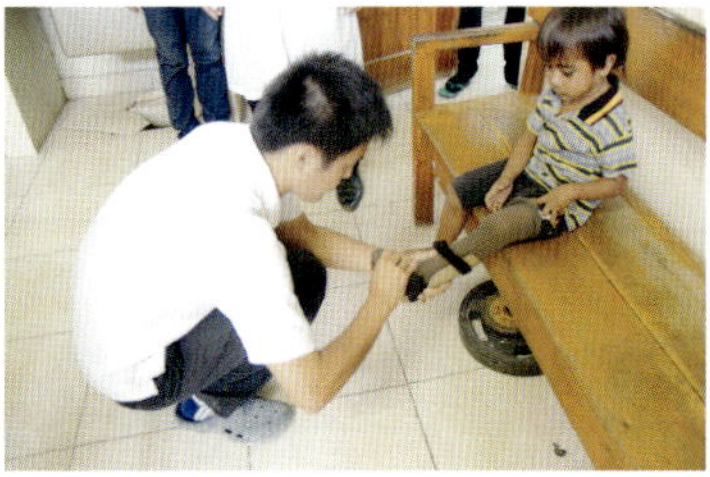

患者《かんじゃ》さんのなかには、幼い子どもも。この子は足に麻痺《まひ》があるため、装具をつくり、装着して歩行訓練をしています。

Q1 どんな仕事をしているのですか?

現在は、青年海外協力隊員として、東ティモールという東南アジアの国の首都ディリにある国立リハビリテーションセンターに勤務しています。日々の活動はおもに、現地の製作アシスタントに義《ぎ》肢《し》装具に関する製作の指導をしたり、知識を伝えたりすることです。さらに、自分でも患者《かんじゃ》さんを担当し、リハビリスタッフとともに、障がいをもつ人のリハビリテーションも行っています。また、開発途《と》上《じょう》国《こく》ということもあり、義《ぎ》肢《し》装具以外にもさまざまな問題が見えてきますので、自分のできる範囲《はんい》で問題を解決するためにとり組んでいます。

Q2 おもしろいところややりがいは?

途《と》上《じょう》国《こく》では治《ち》療《りょう》の遅《おく》れや障がいへの認《にん》知《ち》度《ど》の低さから、状態が悪くなってから出会う障がい者が多く、そういう人たちにもなんとか再び歩いてもらえるよう、義《ぎ》肢《し》装具を製作しています。限られた材料や機材での製作は難しいですが、いかにくふうしてよりよいものをつくるかということにやりがいも感じます。東ティモールには30を超《こ》える言語があり、地方に行くと言葉が通じないこともありますが、さまざまな方法でコミュニケーションをとりながら、現地の人たちの役に立てるよう努力する毎日です。

Q3 なぜこの仕事に就《つ》いたのですか?

母親が看護師だったこともあって、医《い》療職《りょうしょく》に興味がありました。義《ぎ》肢《し》装《そう》具《ぐ》士《し》を知ったきっかけは、高校のサッカー部の試合で、相手チームに義足でプレーしている選手がいたことです。義足でダッシュやターンをしている姿を見て、きっとたいへんな苦労をしたのだろうなと思うと同時に、彼《かれ》はどんな人に支えられてきたのだろうと思い、調べるうちに、義《ぎ》肢《し》装《そう》具《ぐ》士《し》の仕事に興味をもちました。また、以前から、もっと視野を広げて世界を肌《はだ》で感じてみたいと考えていたため、国内で義《ぎ》肢《し》装《そう》具《ぐ》士《し》としての経験を積んだのち、海外で働くことを決めました。

国際協力機構

日本の政府開発援助《えんじょ》(政府が開発途《と》上《じょう》国《こく》に対して行う資金や技術の協力)を実施《じっし》する機関。開発途《と》上《じょう》国《こく》へのさまざまな国際協力を行っている。英語表記を省略したJICA《ジャイカ》という名称《めいしょう》でも知られる。

青年海外協力隊

自分の技術や経験を世界の人びとのために役立てたいという青年を派遣《はけん》し支援《しえん》する、国際協力機構によるボランティア事業。隊員は現地で生活しながら活動する。

もっと！

教えて！ 義肢装具士《ぎしそうぐし》さん

Q1
義肢装具士《ぎしそうぐし》になって よかったなと 思うことを教えて！

A 体の機能を助けるだけでなく、気持ちの面でも力になれる

担当した患者《かんじゃ》さんから、製作した靴《くつ》をはいて、海外旅行に行くことができましたと、写真つきの手紙をもらったことがあります。歩く機能を助けるだけでなく、旅行に行ってみようという気持ちの面でも力になることができたのかなとうれしく思いました。こうした患者《かんじゃ》さんからの言葉は、よりよい装具をつくる原動力になっています。（20代・女性）

A 「一生義足をつくってほしい」と言ってもらえたこと

あるとき、担当している義足ユーザーさんから、「あなたに一生義足をつくってほしい」という言葉をもらいました。全国には、規模もさまざまな義肢《ぎし》装具製作所が約600社も存在し、何千人もの義肢装具士《ぎしそうぐし》が働いています。そのなかから、自分が働く会社、自分という義肢装具士《ぎしそうぐし》を選んでもらえたこと、信頼《しんらい》を寄せてくれていることを実感し、非常にうれしく感じました。（40代・男性）

A 福祉《ふくし》用具のおかげで生活の質が向上したと喜んでもらえるのがうれしい

福祉《ふくし》用具を使うことで、できることが増えたり暮らしやすくなったりしたと、感謝の言葉をもらうときが、福祉《ふくし》用具専門相談員としてのやりがいやうれしさを感じる瞬間《しゅんかん》です。「この車いすのおかげで自分で動けるようになったよ」とか、「ベッドをかえたら介護《かいご》がずいぶん楽になりました」といった言葉をかけてもらえると、この仕事をしていてよかったなと思います。

（30代・男性）

Q2 義肢装具士《ぎしそうぐし》の仕事で、大変なこと、苦労したことを教えて！

A 若いころは、ユーザーさんから不信感をぶつけられたことも

まだ若いころに、年配のユーザーさんの義足をつくるために顔合わせをしたとき、「こんな若いのには任せられない」と、相手にもされなかったことがあります。また、別のユーザーさんの義足を製作した際には、何度か調整をくり返しても適合せず、ユーザーさんから義足を投げつけられたことも。経験を積んで技術をみがき、今ではこのようなことはありませんが、相手から信頼《しんらい》を得るのは簡単なことではありません。（40代・男性）

A 刻々と変化する病状に合わせて、必要な福祉《ふくし》用具を何度も選び直す

福祉《ふくし》用具専門相談員として働いていますが、高齢者《こうれいしゃ》や障がいをもつ人が対象なので、なかには末期がんや、現在の医療《いりょう》では治せない難病をわずらっている人もいます。短期間で病状がかわるような病気だと、必要な福祉《ふくし》用具を何度も選定し直さなければなりません。体の状態や住環境《じゅうかんきょう》をしっかりと把握《はあく》し、常にそのときの最高のものを提供できるよう心がけていますし、日々勉強だと感じています。（30代・男性）

A 患者《かんじゃ》さんの体に合わせつつ、自然に見えるデザインや形をくふう

靴《くつ》は左右そろって一足でつくられることが多いですが、靴型《くつがた》装具をつくる場合は、足の長さや形などが左右で差のある患者《かんじゃ》さんも少なくありません。機能性や適合性をそこなわないようしつつ、左右が対称に見えるようなデザインや形をくふうすることは、やりがいを感じる一方で難しさも感じます。（20代・女性）

Q3
義肢装具士《ぎしそうぐし》にとってだいじだと思うことを教えて!

A ユーザーさんの思いに応えようとする責任感と熱意

オーダーメイドの義肢《ぎし》装具は、世界に一つだけのその人専用のもの。体の一部として生活を支えるものですし、価格も安いものではありませんから、ユーザーさんはなんとかして満足のいくものをつくってほしいと願っています。その思いに応えるためには、こだわりをもってていねいに仕事にとり組む責任感と熱意が欠かせません。　（30代・男性）

A 「感じること」「理解すること」「伝えること」の力をつけていくこと

義肢装具士《ぎしそうぐし》は人を対象とした仕事なので、対象となる人の考えや気持ちを理解し、受け入れることが大切です。また、自分の意見や考えを上手に人に伝えることも必要になります。どちらも決して簡単なことではありません。専門職としての知識や経験もだいじなことですが、「感じること」「理解すること」「伝えること」の力をつけていく必要があります。　（50代・男性）

A 義肢《ぎし》装具のユーザーさんは十人十色。いっしょに悩《なや》んで考えることがだいじ

義肢装具士《ぎしそうぐし》は、単なるものづくりの仕事ではなく、病気や事故などで障がいを負ってしまった人たちが再び自分の人生の一歩をふみ出すために、義肢《ぎし》装具という「もの」を通して少しだけ背中を押《お》してあげる仕事だと思います。十人十色という言葉がありますが、義肢装具士《ぎしそうぐし》が対象とする人たちは、それぞれまったく異なる人生を歩んできて、今後もそれぞれの人生を歩んでいきます。しっかりとコミュニケーションをとり、どうすれば一歩ふみ出すことができるのかをいっしょに悩《なや》んで考えることがだいじだと思います。　（20代・男性）

Part 2

目指せ義《ぎ》肢《し》装《そう》具《ぐ》士《し》！どうやったらなれるの？

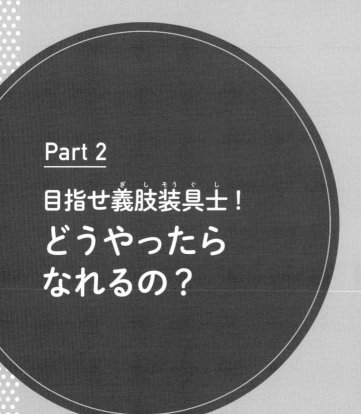

義肢装具士《ぎしそうぐし》になるには、どんなルートがあるの？

大学または専門学校で学び、国家試験を受験

義肢装具士《ぎしそうぐし》になるためには、高等学校を卒業後、義肢装具士《ぎしそうぐし》養成校（文部科学大臣が指定した学校、または都道府県知事が指定した義肢装具士《ぎしそうぐし》養成所）に進学し、3年以上、義肢装具士《ぎしそうぐし》に必要な知識と技術を学ぶのが、一般的《いっぱんてき》なルートです。

義肢装具士《ぎしそうぐし》養成校で必要な科目をすべて修めると、義肢装具士《ぎしそうぐし》国家試験の受験資格が得られます。そして、国家試験に合格すれば、晴れて義肢装具士《ぎしそうぐし》資格取得です。ストレートで国家試験に合格し、就職すれば、21歳《さい》か22歳《さい》で義《ぎ》肢装具士《しそうぐし》として働き始めることができます。

義肢装具士《ぎしそうぐし》養成校のなかには社会人入試（社会人のみを対象とした入学試験）を実施《じっし》しているところもあり、高等学校や大学を卒業していったん社会に出たあとで、義肢装具士《ぎしそうぐし》を目指す人にも道が開かれています。

なお、大学などで指定の科目を修めた人や、義肢《ぎし》装具製作の技能検定（特定の職種に関する技能の習得レベルを評価する国家検定制度）に合格した人は、義肢装具士《ぎしそうぐし》養成校で2年以上または1年以上学べば国家試験の受験資格を得られることになっていますが、現在、1年制や2年制の義肢装具士《ぎしそうぐし》養成校はないので、3～4年制の養成校で学ぶことになります。

また、外国において義肢装具士《ぎしそうぐし》養成校を卒業した人や、義肢装具士《ぎしそうぐし》に相当する免許《めんきょ》を取得した人は、厚生《こうせい》労働大臣に認定《にんてい》されれば、義肢装具士《ぎしそうぐし》国家試験を受験することができます。

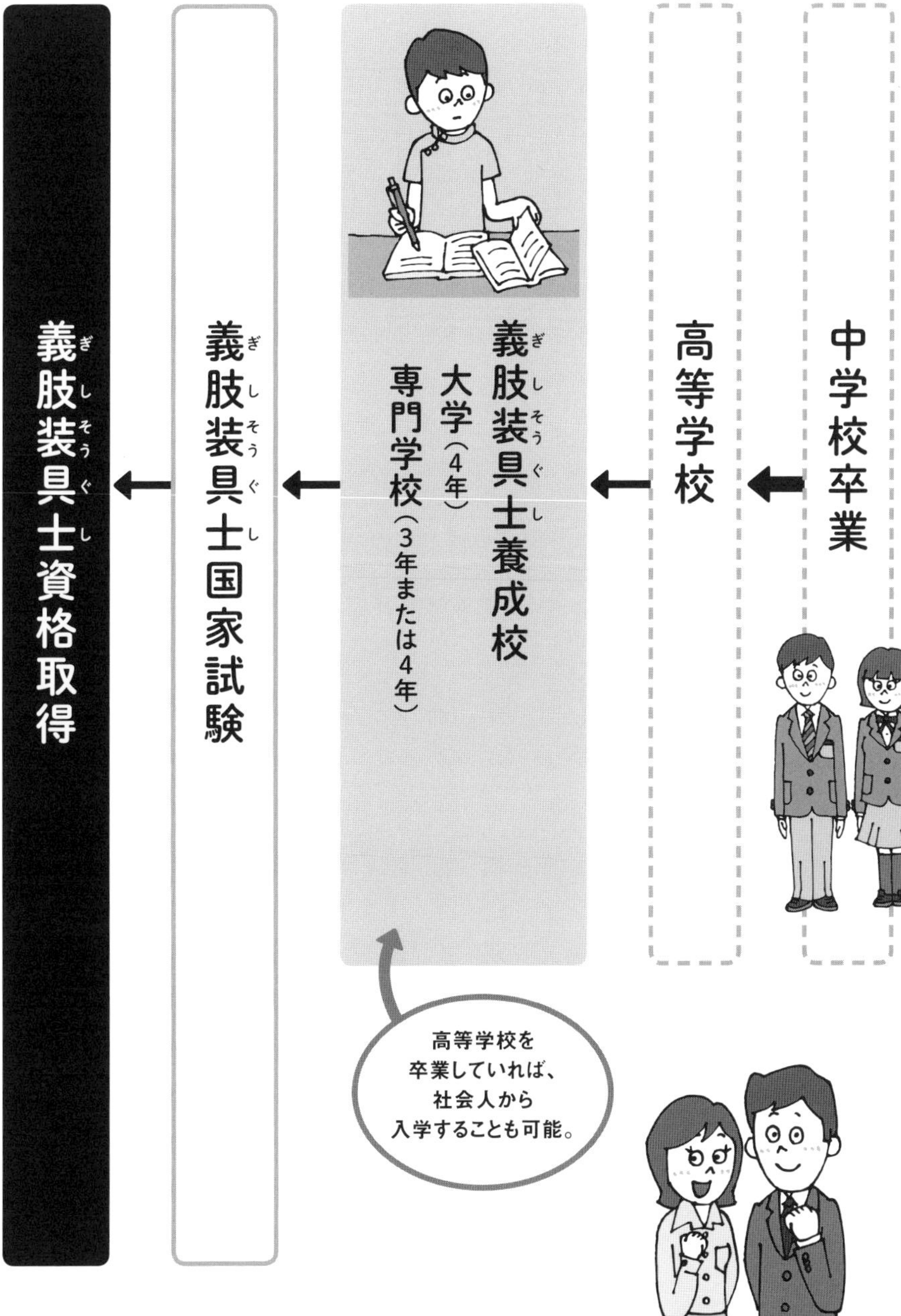
中学校卒業
高等学校
義《ぎ》肢《し》装《そう》具《ぐ》士《し》養成校
大学（4年）
専門学校（3年または4年）
高等学校を
卒業していれば、
社会人から
入学することも可能。
義《ぎ》肢《し》装《そう》具《ぐ》士《し》国家試験
義《ぎ》肢《し》装《そう》具《ぐ》士《し》資格取得

? いろんな学校があるみたいだけど、ちがいは何？

義肢装具士《ぎしそうぐし》養成校の種類と数

大学（4年制）		4校
	私立	4校
専門学校（3～4年制）		6校
	国立	1校
	私立	5校
計		10校

養成校のうち、国立にあたるのは、国立障害者リハビリテーションセンターの教育・訓練担当部門である国立障害者リハビリテーションセンター学院1校のみです。埼玉県にあります。

実践力《じっせんりょく》重視の専門学校、幅広《はばひろ》くじっくり学べる大学

義肢装具士《ぎしそうぐし》養成校は全国に10校と、数は多くありません。学校の種類は専門学校と大学があり、専門学校は6校、大学は4校です（2018年現在）。

専門学校はほとんどが3年制です。大学より1年短いため、必要な科目を集中的に勉強することになります。できるだけ早く資格を得て、現場で働きたいという人には、専門学校が向いているといえます。

一方、大学は4年制。専門学校よりも時間をかけて、幅広《はばひろ》い内容を学びます。義肢《ぎし》装具に関する専門科目に限らず、さまざまな科目が用意されていて、広い視野と豊かな人間性をつちかうことができます。

専門科目以外も幅広《はばひろ》く学び、応用力を身につける

大学 (4年)

義肢《ぎし》装具にかかわる専門科目だけでなく、教養科目もあわせて学びます。ほかの学部・学科と共通のカリキュラムを用意している場合もあり、他職種を目指す学生とともに学んで視野を広げることができます。技術とともにさまざまな知識を総合的に学べるので、応用力が身につきます。

現場に出るための実践的《じっせんてき》な知識と技術を習得

専門学校 (3～4年)

専門学校の多くは3年制ですが、義肢装具士《ぎしそうぐし》になるために修める必要のある科目数は4年制の大学と同じです。そのため、各学年で学ぶべきことが多くなります。義肢《ぎし》装具に関する実践的《じっせんてき》な専門教育が中心で、将来の仕事に直結する技術と知識を身につけることが重視されています。

全国の義肢装具士《ぎしそうぐし》養成校

2018年現在

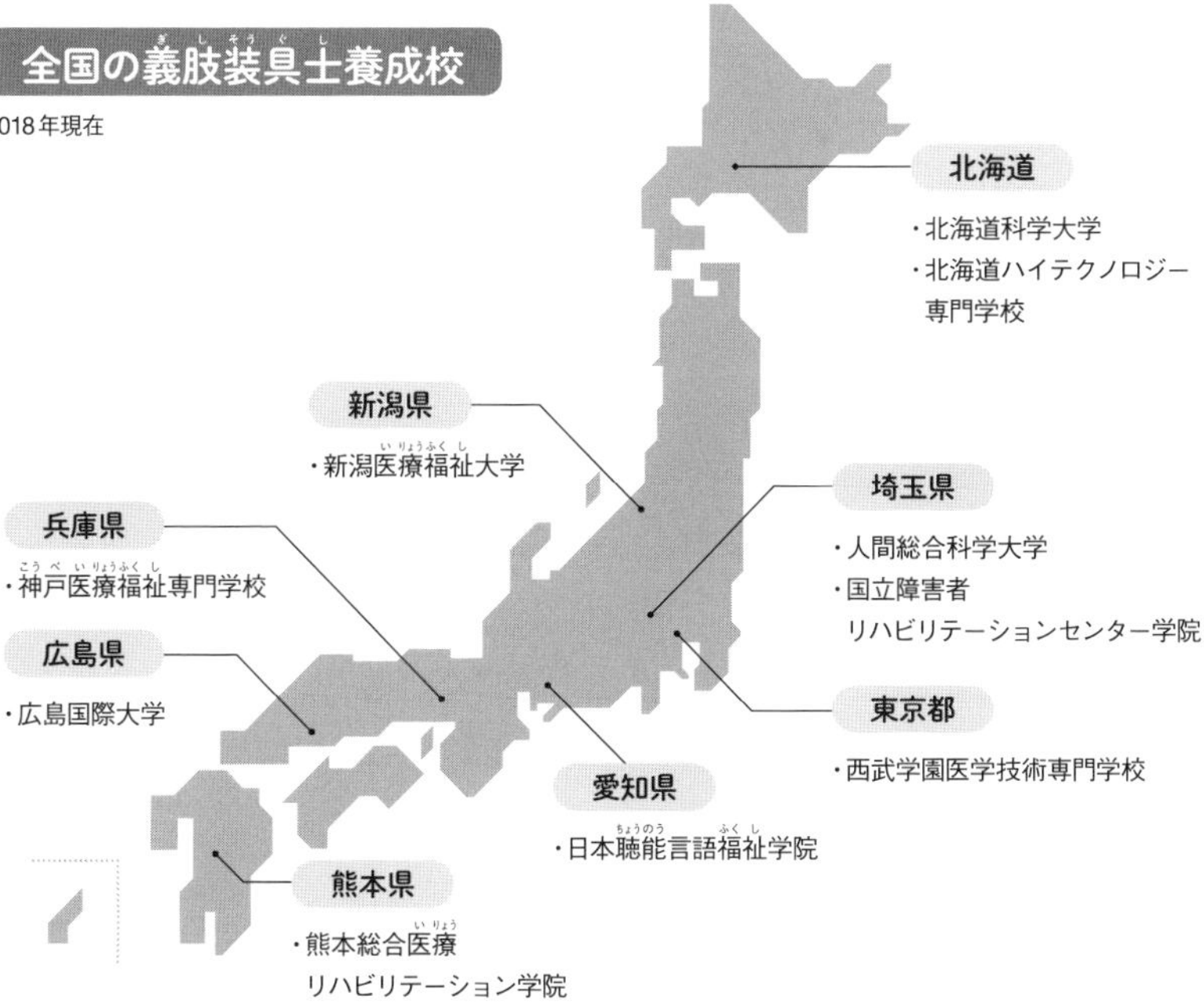

?

義《ぎ》肢《し》装《そう》具《ぐ》士《し》の学校って、どんなところ？

義肢装具士《ぎしそうぐし》養成校の教育内容

基礎《きそ》分野

- 科学的思考の基盤《きばん》
- 人間と生活

専門基礎《きそ》分野

- 人体の構造と機能及《およ》び心身の発達
- 疾病《しっぺい》と障害の成り立ち及《およ》び回復過程の促進《そくしん》
- 保健医療福祉《いりょうふくし》とリハビリテーションの理念
- 義肢《ぎし》装具領域における工学

専門分野

- 基礎義肢《きそぎし》装具学
- 応用義肢《ぎし》装具学
- 臨床《りんしょう》実習

文部省・厚生省令「義肢装具士学校養成所指定規則」より

義《ぎ》肢《し》装具の製作や適合に必要な知識と技術を学びます

義肢装具士《ぎしそうぐし》養成校の大まかな教育内容は、法令によって決められています。これらの内容は、大学でも専門学校でも必ず学ぶことになっています。

教育内容は、あらゆる学びの基礎《きそ》となる科学的なものの考え方を身につけ、人間の命や生活について学ぶ「基礎《きそ》分野」、人体のしくみや発達、病気と障がい、保健医療福祉《いりょうふくし》とリハビリテーション、義肢《ぎし》装具に必要な工学などの知識を身につける「専門基礎《きそ》分野」、義《ぎ》肢《し》装具の製作や適合に関する専門的な知識や技術を学ぶ「専門分野」と、大きく3つに分かれています。学習の総まとめとして、現場で行う臨床《りんしょう》実習（57ページ）も必修です。

ボランティア活動

近隣《きんりん》で開催《かいさい》される大規模なマラソン大会で給水所の設営を行うなど、さまざまな人とのふれ合いを体験。

サークル活動

文化系、運動系の各種サークルがあり、学年や学科のちがう学生とも交流できます。

写真提供・取材協力：人間総合科学大学

ある一年のスケジュール

4月	入学式（1年次） フレッシュマンキャンプ（1年次） 前期授業開始
5月	球技大会
▼	
7月	前期授業終了《しゅうりょう》
8月	前期定期試験 夏季休暇《きゅうか》
▼	
10月	後期授業開始 学園祭
▼	
12月	冬季休暇《きゅうか》
▼	
2月	後期授業終了《しゅうりょう》 後期定期試験 義肢装具士《ぎしそうぐし》国家試験（卒業年次）
3月	学位授与式《じゅよしき》（卒業年次）

学校行事やボランティアなど、勉強以外の経験も大切に

学ぶべき内容はたくさんありますが、学生生活は授業以外の時間も大切です。学校によって、学園祭などの楽しい行事もありますし、放課後や授業の空き時間、休日を利用して、ボランティア、アルバイト、サークル活動などにはげむ人もいます。また、長期休暇《きゅうか》を利用して海外での短期研修を実施《じっし》したり、留学を支援《しえん》する制度を設けたりしている学校もあります。

義肢装具士《ぎしそうぐし》は、義肢《ぎし》装具という「もの」をつくるだけでなく、使う人の気持ちに寄りそって要望に応えたり、医師や看護師といった他職種とコミュニケーションをとりながらチームで仕事を進めたりすることが求められる仕事です。学生時代にさまざまな経験を重ね、多くの人とかかわることは、将来の仕事にも大いに役立ちます。学校の勉強以外でも、学べることがたくさんあるでしょう。

？ 学校ではどんな授業が行われているの？

専門科目の授業がたくさん。実際に義肢《ぎし》装具をあつかう実習も

具体的な科目は各学校が独自に設定するので、カリキュラムは学校ごとに特色があります。どの学校でも、1年次は解剖学《かいぼうがく》や生理学といった医学的な基礎《きそ》知識を学ぶ科目や、教養科目が中心です。とはいえ、義肢《ぎし》装具に関連する科目の授業も多く、実際に作業をする実習科目も1年次からあります。

学年を重ねるごとに、学ぶ内容はより専門的になり、学内での実習もどんどん本格的になっていきます。義肢《ぎし》装具には、義足、義手、体幹装具、靴型《くつがた》装具など、多くの種類があるので、それぞれがどんな状態の患者《かんじゃ》さんに適したものなのかを知り、製作や適合の方法を学ぶことが必要です。

大学1年次に学ぶ科目（例）

＊印は選択科目

基《き》礎《そ》分野

- 心身健康科学概論《がいろん》
- 生命科学概論《がいろん》
- ストレスと健康
- 情報論
- 人間工学※
- 食べもの学※
- 数学
- 物理学
- 生物学※
- 生化学※
- 職業とキャリア形成
- 論理的思考と表現法
- コミュニケーション演習
- コンピュータ入門※

専門基《き》礎《そ》分野

- 解剖学《かいぼうがく》
- 解剖学《かいぼうがく》実習
- 生理学
- 運動学
- 公衆衛生学※
- 社会参加と高齢者《こうれいしゃ》の福祉《ふくし》※
- 図学・製図学
- 義肢《ぎし》装具材料学
- 義肢《ぎし》装具材料力学
- 機械要素設計

義肢《ぎし》装具に使用される金属、プラスチック、木材、皮革、石膏《せっこう》、繊《せん》維《い》などのさまざまな材料について、特性や使い方を学びます。

専門分野

- 義肢《ぎし》装具学概論《がいろん》
- 見学実習
- 義肢《ぎし》装具基礎《きそ》工作論
- 義肢《ぎし》装具基礎《きそ》工作実習
- 義肢《ぎし》装具応用工作論
- 義肢《ぎし》装具応用工作実習

義肢《ぎし》装具の基本的な製作方法を理解したうえで、より幅広《はばひろ》く、材料の加工方法、工具のとりあつかい方法などを学びます。

さまざまな教室や設備

授業の内容によって、教室の大きさはさまざま。義肢《ぎし》装具の加工に必要な工具や機器を備えた製作室（上）や機械室（左）もあります。

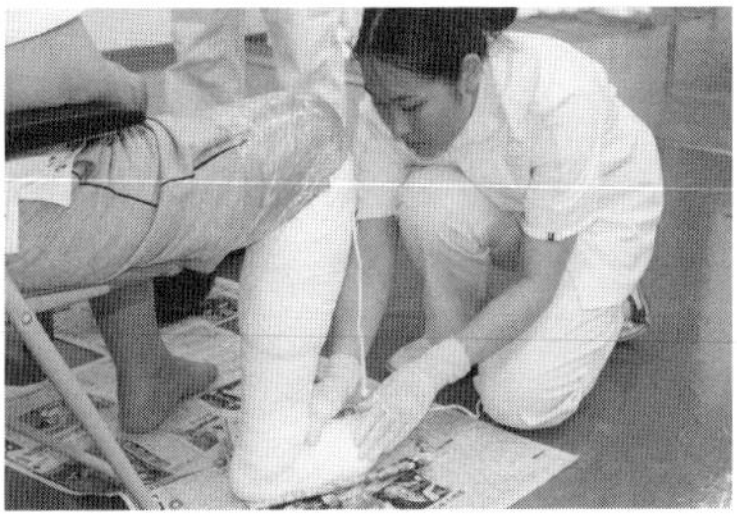

学内での実習

実習では、実際の義肢《ぎし》装具をあつかいます。学内で実習経験を重ねることで基本的な技術を身につけ、臨床《りんしょう》実習に備えます。

実際の業務を経験しながら学ぶ臨床《りんしょう》実習が必須《ひっす》

臨床《りんしょう》実習とは、義肢装具士《ぎしそうぐし》としての基礎《きそ》的《てき》な実践力《じっせんりょく》を身につけるために、義肢《ぎし》装具製作所や医療《いりょう》機関などで行う実習です。スケジュールや期間は学校によってちがいますが、4～6週間程度の臨床《りんしょう》実習を2回ほど実施《じっし》する場合が多いようです。

臨床《りんしょう》実習では、実習先の義肢装具士《ぎしそうぐし》や医師から指導を受けながら、実際の業務を経験します。患者《かんじゃ》さんの体の状態を確認《かくにん》するところから、適切な義肢《ぎし》装具の検討、採型や採寸、製作、適合まですべてを行い、患者《かんじゃ》さんとの接し方、他職種との連携《れんけい》など、経験を通して多くのことを学びます。

臨床《りんしょう》実習を終えると、最終学年は国家試験に向けての勉強や就職活動でいそがしくなります。多くの学校で、国家試験対策のセミナーや模擬《もぎ》試験、就職支援《しえん》といったサポートがあります。

写真提供・取材協力：人間総合科学大学

？ 気になる学費は、どのくらいかかるの？

私立なら大学でも専門学校でも年間100万円程度は必要

学費の相場は、私立の場合、年間100万～150万円くらいです。専門学校はほとんどが3年制のため、卒業までにかかる総額は、大学より低くおさえられます。国立の専門学校の学費は、およそ55万円弱。私立と比べると大幅《おおはば》に安く設定されています。ただし、全国にわずか1校しかありません。

私立の学校では、授業料が低めに設定されていても、実習費や施設費《しせつひ》（施設《しせつ》や設備を維持《いじ》するための費用）が、授業料とは別にかかる場合があるので、よく調べましょう。

多くの学校に奨学金《しょうがくきん》制度があり、民間団体や自治体の奨学金《しょうがくきん》を利用することもできます。

1年にかかる学費の目安

学校の種類		年間授業料	入学金
大学	私立	約100万～145万円	約20万～35万円
専門学校	国立	約55万円	約17万円
	私立	約70万～165万円	約20万～45万円

このほかに、教科書代、実習費、施設費《しせつひ》などがかかる場合もあります。

奨学金《しょうがくきん》の種類

- 民間団体の奨学金《しょうがくきん》
- 学校の奨学金《しょうがくきん》
- 自治体の奨学金《しょうがくきん》

義《ぎ》肢《し》装《そう》具《ぐ》士《し》の入学試験は、難しいの？

義肢装具士《ぎしそうぐし》養成校 一般《いっぱん》入試の試験科目の例

(例1) 私立大学
国語・英語から1科目選択《せんたく》 ＋ 数学・化学・生物から1科目選択《せんたく》 ＋ 面接

(例2) 私立専門学校
国語 ＋ 適性試験（ペーパークラフト実技） ＋ 面接

(例3) 国立専門学校
1次試験：教養（英語・国語） ＋ 数学
→ 2次試験：小論文 ＋ 簡易技能検査（工作） ＋ 面接

推薦《すいせん》入試の種類

一般推薦《いっぱんすいせん》	学業成績など大学や専門学校が示す条件を満たす人が、高等学校の校長の推薦《すいせん》を得て出願。どの高等学校からでも出願できる。
指定校推薦《すいせん》	大学や専門学校が指定した特定の高等学校に限って募集《ぼしゅう》がある。指定を受けている学校の生徒で、条件を満たす人が出願可能。
自己推薦《すいせん》	受験生自身が、自分の能力や打ちこんできたことなどをアピールして、出願する。特別な才能や得意分野がある人が有利。
AO入試	受験生自身が出願する点は自己推薦《すいせん》と同じだが、能力や実績よりも、人物、適性や志望理由などを重視した選抜《せんばつ》が行われる。

学科試験の科目は少なめ。面接や適性試験がある場合も

私立大学の一般《いっぱん》入試では、英語、国語、数学、理科などの科目から、1～3科目の学科試験が課されることが多いようです。センター試験を利用したり、小論文と面接だけで受験したりできる大学もあります。

私立専門学校は、学科試験は1科目のみで、面接試験を課すところがほとんどです。適性を確かめるために、工作の実技試験を行う学校もあります。国立専門学校は、1次試験に合格した人だけが2次試験に進めます。学費が安いことも影響《えいきょう》して、入学試験の倍率は高めです。

また、学校の種類にかかわらず、さまざまな形の推薦《すいせん》入試も実施《じっし》されています。

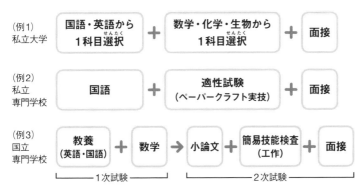

義肢装具士《ぎしそうぐし》に向いているのはどんな人？

向いている人の特徴《とくちょう》

コミュニケーションが上手

義肢《ぎし》装具の適合を行う際は、患者《かんじゃ》さんの要望をくみとることがだいじ。義肢《ぎし》装具士《そうぐし》は話をきくのが上手な人に向いています。医師や看護師、理学療法士《りがくりょうほうし》などと情報を共有するためにも、コミュニケーション能力が必要です。

ものづくりに興味がある

医療職《いりょうしょく》にはめずらしくものづくりの要素がある仕事なので、手を動かしてものをつくることが好きな人に適しています。手先は器用なほうがよいですが、まずは興味があることがだいじです。

物事に根気よくとり組める

義肢《ぎし》装具の製作にはある程度の時間がかかります。体にぴったりとフィットするものをつくるために、何度も調整を重ねる必要がある場合も。集中して作業にとり組み、途中《とちゅう》で投げ出さない根気のよさがあるとよいでしょう。

人の役に立ちたいという思いと、ものづくりへの興味がある人

義肢装具士《ぎしそうぐし》はものづくりにたずさわる仕事なので、手先の器用さが重要だと思われがちですが、それ以上にコミュニケーション能力が求められます。患者《かんじゃ》さんとしっかり話をして、求めることを聞き出したり、気持ちを察したりすることが必要不可欠。人と接することが好きで、人の役に立ちたいという思いがある人に向いている仕事といえます。

もちろん、ものづくりに興味があることもだいじです。多少不器用で工作が苦手でも、興味をもってとり組めば、養成校で技術を身につけることができるので、心配ないでしょう。また、義肢《ぎし》装具の製作には力仕事も多いので、ある程度の体力は必要です。

? 中学校・高等学校でやっておくといいことはある？

いかせる科目

材料のとりあつかい
義肢《ぎし》装具の動き
人体の構造や運動機能
← 物理／数学／生物

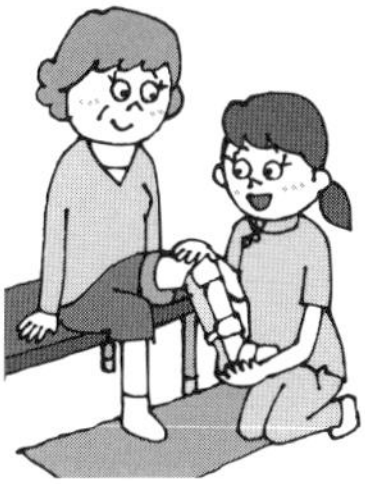

患者《かんじゃ》さんとの
コミュニケーション
他職種との連携《れんけい》
← 国語／クラブ活動

ものづくりやデザインのセンス ← 美術

海外からの新しい情報
外国人の患者《かんじゃ》さんへの対応
← 英語

物理、数学、生物などは、専門知識を学ぶ土台となります

中学校・高等学校の段階で文系の人も理系の人も、義肢装具士《ぎしそうぐし》を目指すことができます。とはいえ、物理、数学、生物といった理系科目は、人間の体や義肢《ぎし》装具の動き、製作の際にあつかう材料の特性、人体のしくみなど、義肢装具士《ぎしそうぐし》に必要なさまざまな知識を理解するための土台となります。できれば学んでおくのが理想的です。

患者《かんじゃ》さんや他職種と上手にコミュニケーションをとるためには、国語の勉強やクラブ活動の経験もだいじです。外国人の患者《かんじゃ》さんに対応したり、海外の最新情報をチェックしたりするには、英語も勉強しておくと役に立ちます。

ほかの医療《いりょう》職《しょく》とは、どうちがうの？

義肢装具士《ぎしそうぐし》は…

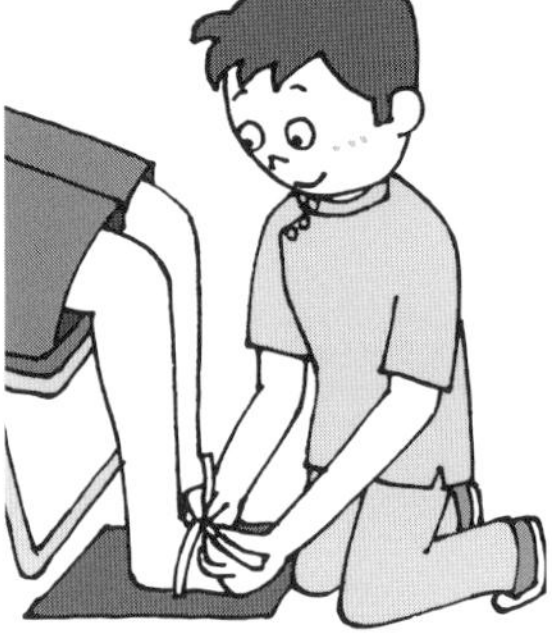

- 厚生《こうせい》労働大臣の免許《めんきょ》を受けて、義肢装具士《ぎしそうぐし》の名称を用いて、医師の指示のもとに、**義肢《ぎし》および装具の装着部位の採型並びに義肢《ぎし》および装具の製作および身体への適合**を行うことを業とする者（義肢装具士法《ぎしそうぐしほう》より）
- 診療《しんりょう》の補助として義肢《ぎし》および装具の装着部位の採型並びに義肢《ぎし》および装具の身体への適合を行うことを業とすることができる（義肢装具士法《ぎしそうぐしほう》より）
- 義肢《ぎし》装具を製作する仕事だけなら、義肢装具士《ぎしそうぐし》の資格がなくてもできる（ただし、採型や適合の仕事には資格が必要）

患者《かんじゃ》さんを診察《しんさつ》し、義肢《ぎし》装具の処方せんを出すのは医師

義肢装具士《ぎしそうぐし》と最も密接にかかわる医療職《いりょうしょく》は医師です。患者《かんじゃ》さんが初めて義肢《ぎし》装具を製作するときには、医師が患者《かんじゃ》さんを診察《しんさつ》し、治療《ちりょう》に必要な義肢《ぎし》装具の処方を出して、義肢装具士《ぎしそうぐし》に製作を指示します。

義肢装具士《ぎしそうぐし》の仕事は、大まかに「臨床《りんしょう》」と「製作」の2つに分けられますが、そのうち採型や適合といった「臨床《りんしょう》」の仕事は、医師の指示のもとに診療《しんりょう》の補助として行うもので、義肢装具士《ぎしそうぐし》の資格がなければできません。一方、義肢《ぎし》装具を実際につくる「製作」の仕事は、無資格でも行うことが可能です。そのため、多くの義肢《ぎし》装具製作所では、製作を専門とする技術者も働いています。

理学療法士《りがくりょうほうし》は…

- おもに、座る、立つ、歩くなどの基本的な動作の回復を援助《えんじょ》
- 病気やケガでまひしたり、動かしづらくなったりした手足や関節を、運動やマッサージなどによって、なるべく動かせるようにする

作業療法士《さぎょうりょうほうし》は…

- 基本的な動作を日常生活に応用できるようにサポート
- 肩《かた》から先を使った細かな動作の回復を援助《えんじょ》することが多い
- 身体障がいだけでなく精神障がいのある人への支援《しえん》にもたずさわる

医師は…

- 診察《しんさつ》によって患者《かんじゃ》さんの状態を把《は》握《あく》し、治療《ちりょう》に必要な義肢《ぎし》装具を処方する
- 義肢装具士《ぎしそうぐし》に対し、義肢《ぎし》装具の形状、構造、機能などに関する指示を出し、必要な注意事項《じこう》を伝える
- 義肢《ぎし》装具の適合チェックを責任をもって行う

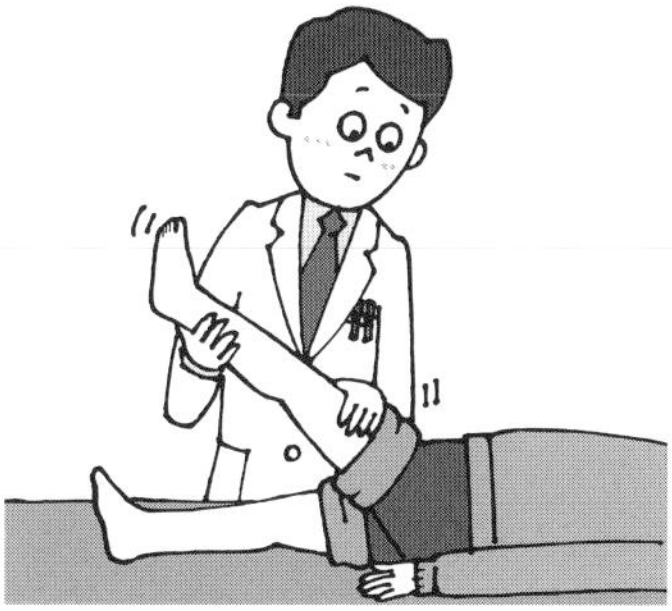

理学療法士《りがくりょうほうし》や作業療法士《さぎょうりょうほうし》はリハビリテーション専門職

どんな義肢《ぎし》装具をつくるかを検討する際や、できあがった義肢《ぎし》装具の適合を行う際には、医師に加えて、理学療法士《りがくりょうほうし》や作業療法士《さぎょうりょうほうし》もかかわることが多くあります。理学療法士《りがくりょうほうし》や作業療法士《さぎょうりょうほうし》は、医師の指示のもとに患者《かんじゃ》さんのリハビリテーションにたずさわる専門職です。患者《かんじゃ》さんの動作能力を評価してリハビリテーションのプログラムを組み立てたり、体の動かし方を指導したりして、身体機能の回復をはかります。

義肢装具士《ぎしそうぐし》の大半が病院外の義肢《ぎし》装具製作所で働いているのに対して、理学療法士《りがくりょうほうし》や作業療法士《さぎょうりょうほうし》は病院に所属していることが多く、患者《かんじゃ》さんと日常的にかかわっています。よりよい義肢《ぎし》装具をつくるためには、患者《かんじゃ》さんのリハビリテーションにたずさわる理学療《りがくりょう》法士《ほうし》や作業療法士《さぎょうりょうほうし》から意見を聞くなどして連携《れんけい》することもだいじです。

？ 義《ぎ》肢《し》装《そう》具《ぐ》士《し》ってどのくらいいるの？

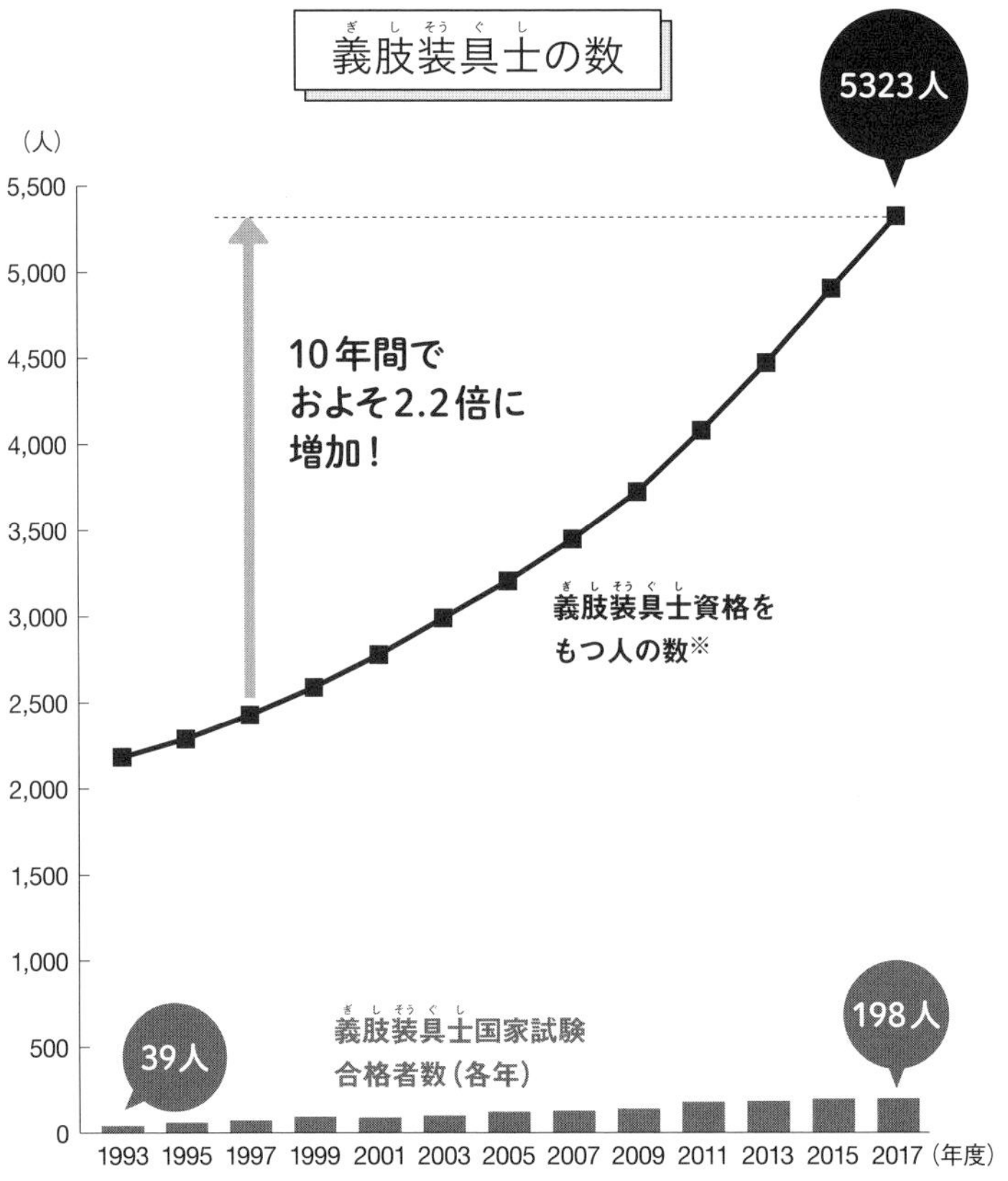

※義肢装具士国家試験合格者数を合計したもの。（公益財団法人テクノエイド協会資料より作成）

義《ぎ》肢《し》装《そう》具《ぐ》士《し》資格をもつ人は全国におよそ５０００人

義《ぎ》肢《し》装《そう》具《ぐ》士《し》資格をもつ人は、２０１７年度末時点で全国に約５０００人。近年では、国家試験によって、毎年２００人前後の義《ぎ》肢《し》装《そう》具《ぐ》士《し》が新たに誕生しています。

義《ぎ》肢《し》装《そう》具《ぐ》士《し》という国家資格ができたのは、１９８７年のこと。日本では、明治時代から義《ぎ》肢《し》装具を製作する職人がいましたが、技術を学ぶ学校などはなく、見習いとして働きながら技術を身につけていました。やがて、リハビリテーション医学の発達にともない、義《ぎ》肢《し》装具の製作適合に関する確かな技術と知識をもつ専門職が求められるようになり、専門教育がスタート。その後、国家資格制度ができました。

義肢装具士《ぎしそうぐし》の男女別・年齢別《ねんれいべつ》割合

一般社団法人日本義肢装具士協会「第2回義肢装具士実態調査調査」(2016年)より作成

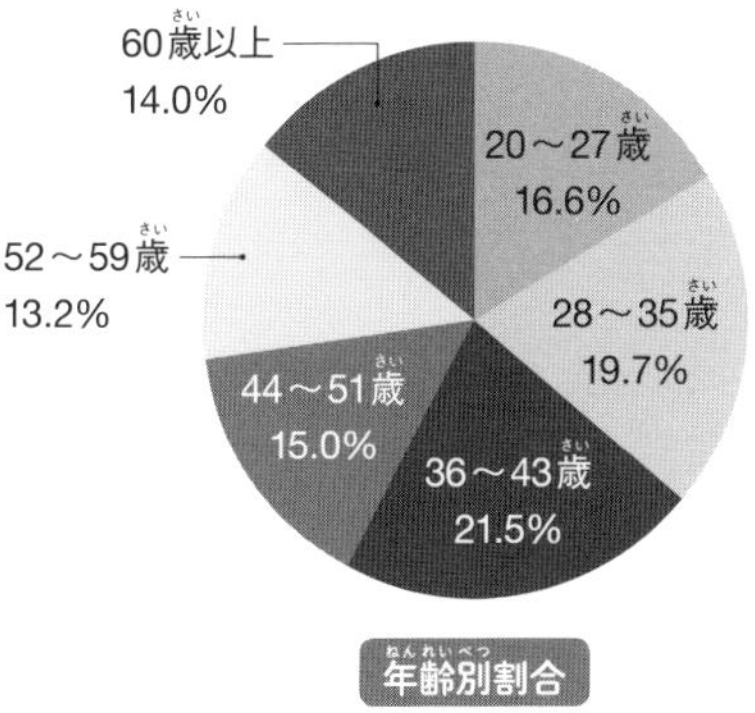

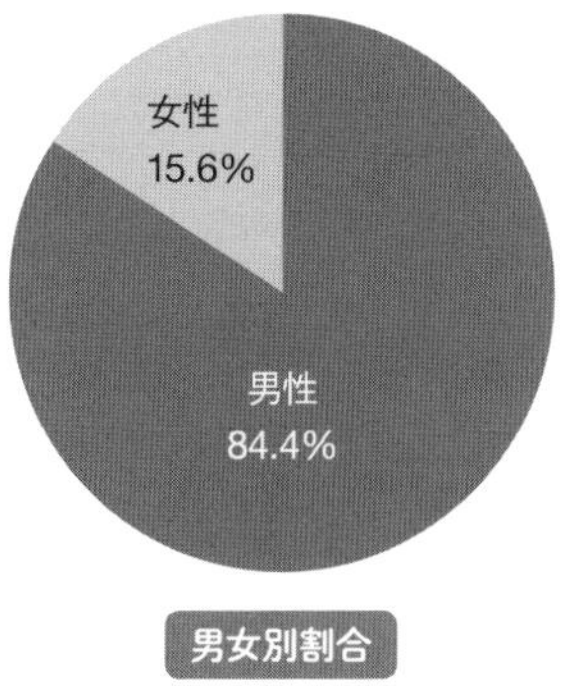

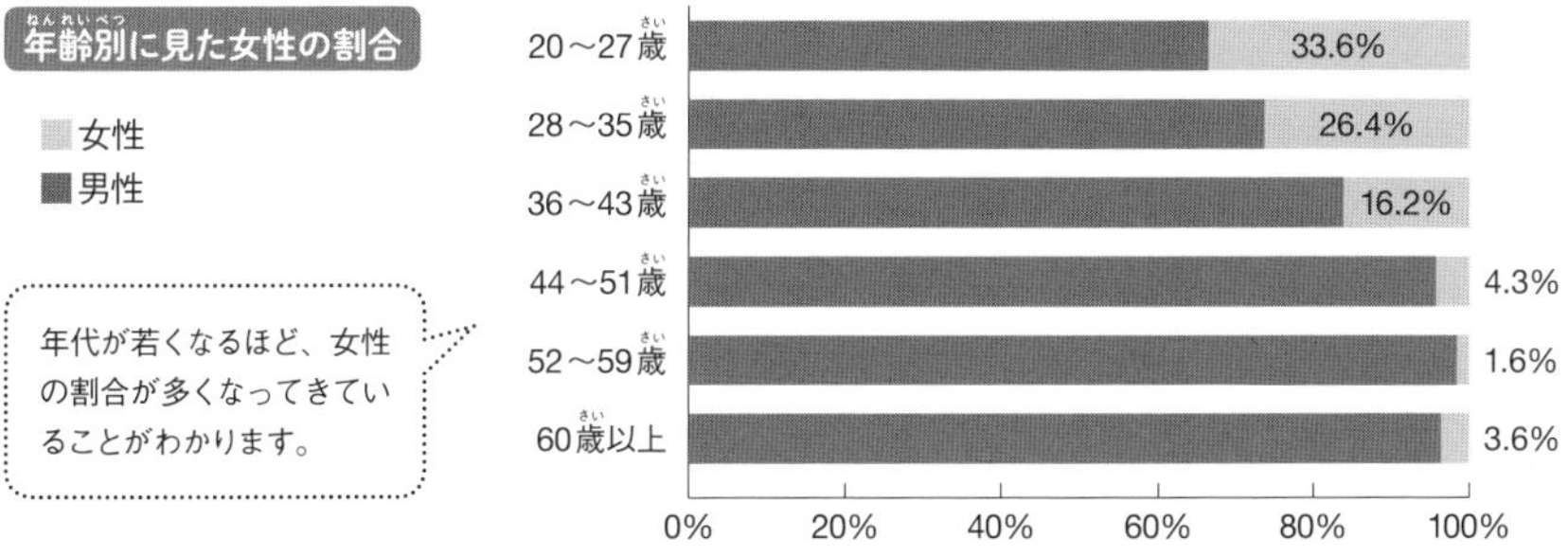

男性のほうが多い職業ですが、若い世代では女性も増加中

義肢装具士《ぎしそうぐし》として働く人の性別は、男性が84・4%、女性が15・6%と、圧倒的《あっとうてき》に男性が多い職業です。いわゆる職人の仕事としての歴史が長く、男性の仕事と考えられていた時代もありますが、最近では女性の義肢《ぎし》装具士《そうぐし》が求められる場面も少なくありません。採型や採寸では患者《かんじゃ》さんの体にふれる必要があり、女性の患者《かんじゃ》さんにとっては同性の義肢装具士《ぎしそうぐし》のほうが抵抗《ていこう》が少ない場合があるためです。女性義肢装具士《ぎしそうぐし》は年々増えてきています。年齢別《ねんれいべつ》に女性の割合を見ると、若い世代ほど女性が多く、20〜27歳《さい》では30%を超《こ》えています。

義肢装具士《ぎしそうぐし》の年齢別《ねんれいべつ》割合としては36〜43歳《さい》が最も多いですが、世代による差は大きくはありません。経験を重ねながら、新しい技術も学び続けていくことで、年齢《ねんれい》に関係なく長く働ける職業といえるでしょう。

？ 義《ぎ》肢《し》装《そう》具《ぐ》士《し》はどんなところで活躍《かつやく》しているの？

義肢装具士《ぎしそうぐし》が活躍《かつやく》する場所とその割合

一般社団法人日本義肢装具士協会「第2回義肢装具士実態調査調査」（2016年）より作成

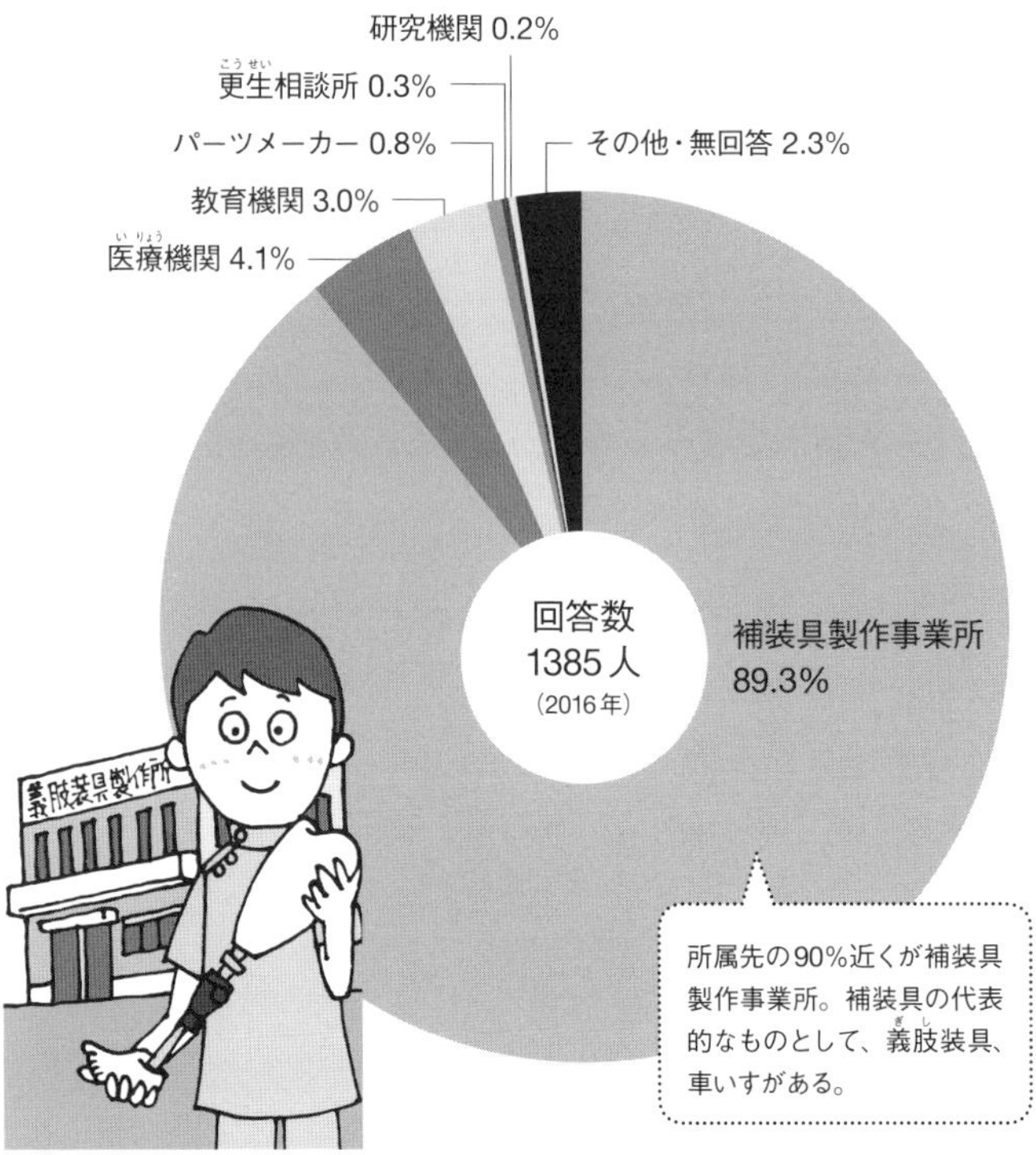

所属先は補装具製作事業所が最も多く、90%近くをしめます

義肢装具士《ぎしそうぐし》は、チーム医療《いりょう》の一員としてリハビリテーションにたずさわる医療職《いりょうしょく》ですが、医療《いりょう》機関に所属する人の割合は少なく、大半が補装具製作事業所に所属しています。補装具製作事業所とは、補装具（※）の製作や修理を行う会社のことで、義肢《ぎし》装具製作所も、ここにふくまれます。

治療《ちりょう》に義肢《ぎし》装具を必要とするケースは一つの医療《いりょう》機関ではそれほど多くないため、義《ぎ》肢《し》装具製作所はいくつかの医療《いりょう》機関と提携《ていけい》し、そこにかかっている患者《かんじゃ》さんたちの義《ぎ》肢《し》装具を製作します。医療《いりょう》機関に出向いて仕事をすることもありますが、出入りの業者という立場になります。

※補装具：そこなわれた身体機能を補ったり、失われた体の部位のかわりをしたりするために継続的《けいぞくてき》に使われるもの

義肢装具士《ぎしそうぐし》の所属先の規模

一般社団法人日本義肢装具士協会「第2回義肢装具士実態調査調査」（2016年）より作成

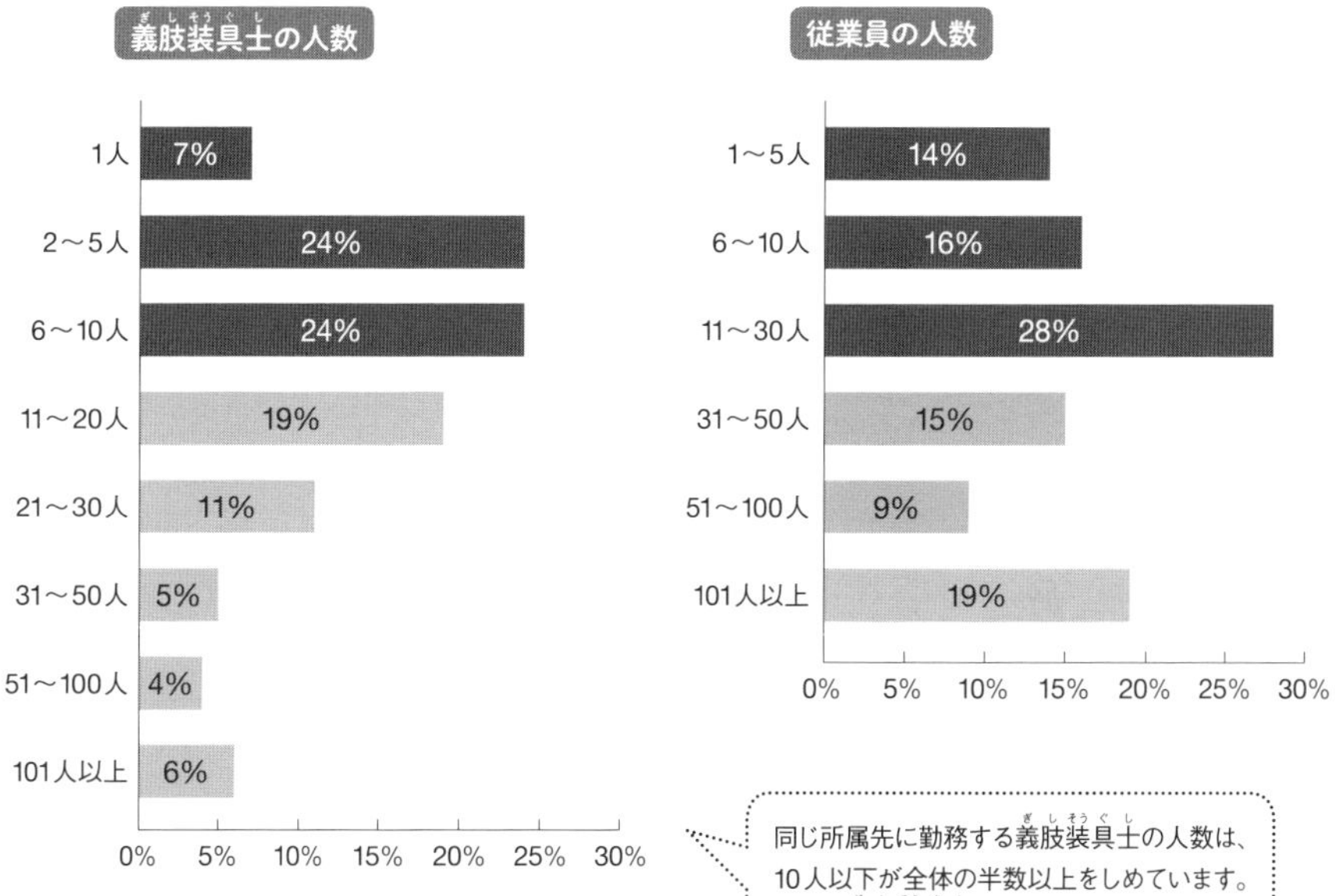

同じ所属先に勤務する義肢装具士《ぎしそうぐし》の人数は、10人以下が全体の半数以上をしめています。また、義肢装具士《ぎしそうぐし》以外もふくめた従業員の人数も、30人以下が半数以上。比較的《ひかくてき》小規模な事業所が多いようです。

所属先の規模や方針によっても仕事の仕方にちがいが

義肢装具士《ぎしそうぐし》の仕事は、大まかに「臨床《りんしょう》」と「製作」に分けられます（62ページ）。事業所の規模がそれほど大きくない場合、義肢装具《ぎしそうぐ》士《し》は臨床《りんしょう》と製作の両方をになうことが多く、決まった日に医療《いりょう》機関に出向いて臨床《りんしょう》の仕事をし、それ以外の日は事業所内で製作を行うというスタイルが一般的《いっぱんてき》です。規模の大きな事業所などでは、臨床《りんしょう》と製作の仕事を分業にしている場合もあります。

医療《いりょう》機関で働く義肢装具士《ぎしそうぐし》は、所属先の病院などで、臨床《りんしょう》と製作の両方の仕事をします。患者《かんじゃ》さんと日常的にかかわることができ、ほかの医療職《いりょうしょく》と連携《れんけい》しながら臨床《りんしょう》の仕事にたずさわる機会が多いのが特徴《とくちょう》です。

数は少ないですが、義肢装具士《ぎしそうぐし》としての経験や知識、技術をいかして、養成校で講師をつとめる人や、義肢《ぎし》装具を構成する部品をあつかうパーツメーカーで働く人もいます。

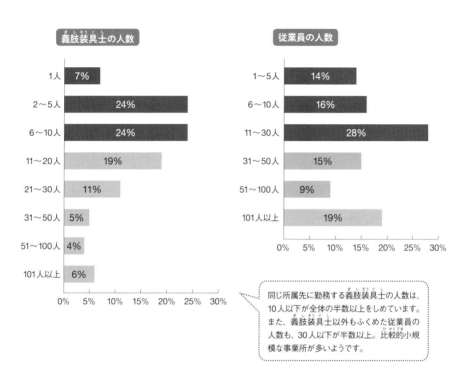

義《ぎ》肢《し》装《そう》具《ぐ》士《し》はどうキャリアアップしていくの？

技術や知識を積み重ねて、専門性の高い義《ぎ》肢《し》装《そう》具《ぐ》士《し》に

義《ぎ》肢《し》装具には、義手、義足、コルセット、インソールなど多くの種類があり、目的もさまざま。そのなかで特に何の製作に力を入れているかは、事業所によって異なります。靴型《くつがた》装具や、座位保持装置（車いすなどで適切な姿勢を保てるよう補助するための装置）を中心にあつかう事業所も増えてきています。勤務先の事業所が得意とする業務について経験を積み、専門性を高めていくことが大切です。さまざまな関連資格もあります。

業務に関連する知識や技術を学び、義肢《ぎし》装具士《そうぐし》としての実力をつけていくことは、キャリアアップにつながると同時に、義肢《ぎし》装具を利用する人たちのために役立ちます。

補装具や福祉《ふくし》用具に関する資格

資格名	内容
靴型《くつがた》装具認定《にんてい》資格者	整形靴《ぐつ》・特殊靴《とくしゅぐつ》を製作するための医学的知識や、材料、製作方法および制度についての必要な知識・技術をもつと認められた者。日本義肢《ぎし》協会が認定《にんてい》。
シーティングエンジニア	車いすや座位保持装置などのシーティング（良好な姿勢を保てるように調整すること）に関する高い適合技術をもった技術専門職。日本車椅子《いす》シーティング協会が認定《にんてい》。
福祉《ふくし》用具プランナー	福祉《ふくし》用具を必要とする高齢者《こうれいしゃ》や障がい者に対し、必要な福祉《ふくし》用具の選定や利用の支援《しえん》、使用状況《じょうきょう》の確認《かくにん》や評価まで行うことができる専門家。テクノエイド協会が認定《にんてい》。
福祉住環境《ふくしじゅうかんきょう》コーディネーター（1級、2級、3級）	医療《いりょう》・福祉《ふくし》・建築について幅広《はばひろ》い知識をもち、高齢者《こうれいしゃ》や障がい者ができるだけ自立していきいきと生活できるような住環境《じゅうかんきょう》を提案するアドバイザー。東京商工会議所が認定《にんてい》。
車いす安全整備士	車いすの点検整備と安全利用の指導について専門的な技能をもち、車いすの安全利用と事故防止のために中心的な役割を果たす者。日本福祉《ふくし》用具評価センターが認定《にんてい》。
福祉《ふくし》用具専門相談員	福祉《ふくし》用具の選定や使用を支援《しえん》し、福祉《ふくし》用具を安全に使えるように、調整、取扱《とりあつかい》の説明、点検などを行う専門職（41ページ）。

……など

世界水準の義肢装具士《ぎしそうぐし》として認証《にんしょう》を受けるのも一つの方法

仕事のかたわら、セミナーや学会に参加したり、業務についての研究や発表を行ったりしている義肢装具士《ぎしそうぐし》も多いようです。日本義肢装具士《ぎしそうぐし》協会が義肢装具士《ぎしそうぐし》全体のレベルアップのために主催《しゅさい》する研修セミナーのほか、パーツメーカーなどの企業《きぎょう》による展示会や勉強会なども数多く実施《じっし》されています。

また、国際義肢《ぎし》装具協会（ＩＳＰＯ）が認《にん》定《てい》した養成校を卒業し、「ＩＳＰＯカテゴリーⅠ」の個人認証《にんしょう》を取得することもキャリアアップの一つの方法です。国際的なライセンスなので、海外で義肢装具士《ぎしそうぐし》として活躍《かつやく》したいと考えている人にとっては特に有用でしょう。

スキルを高めて勤務先でキャリアアップするほか、独立して自ら事業所を開くという道もあります。義肢装具士《ぎしそうぐし》としての実力に加え、経営者としての能力も必要です。

収入はどのくらい？　就職はしやすいの？

年収を比べてみると…

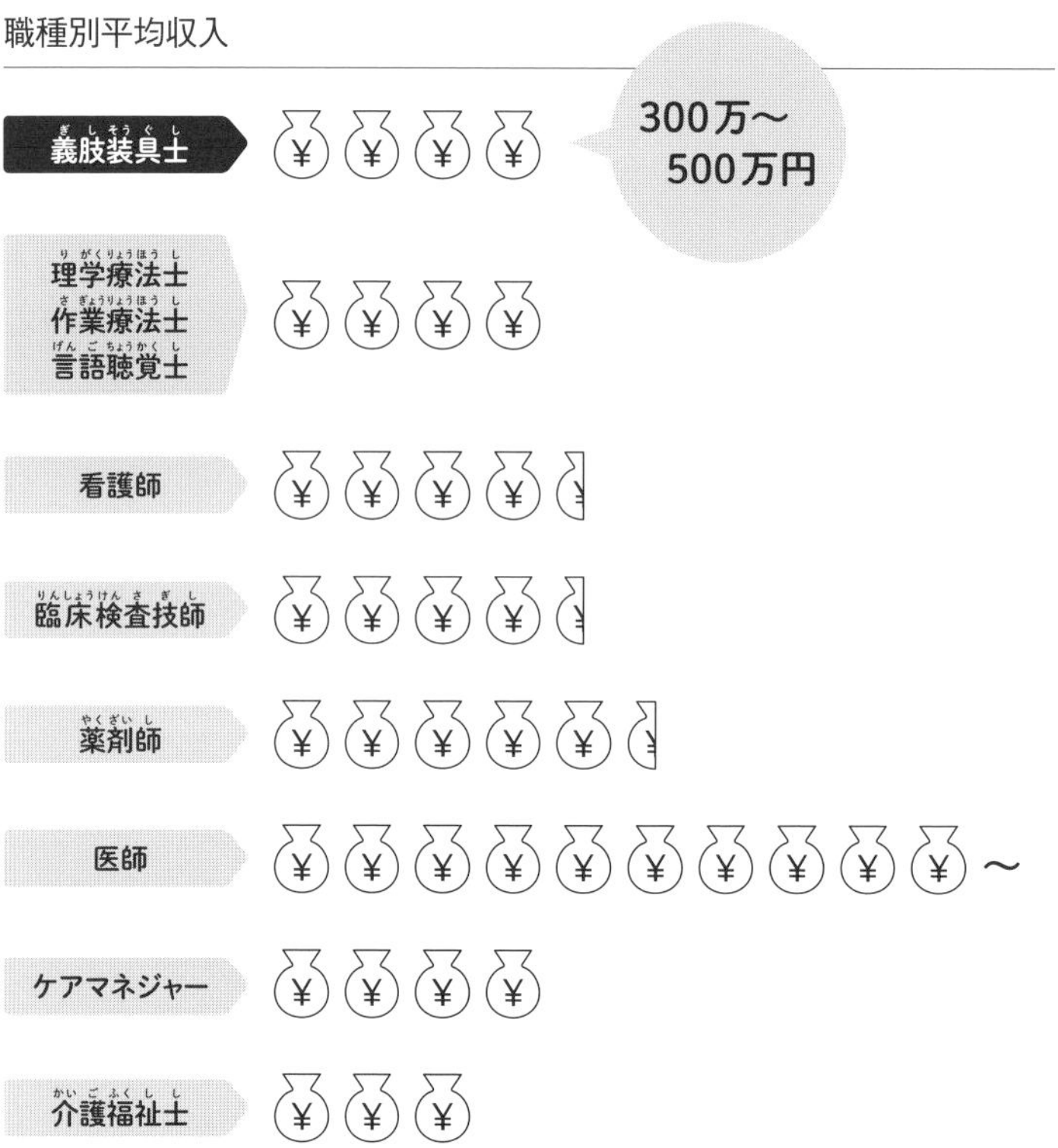

高度な知識と技術に対し、年収は日本人の平均と同程度

日本義肢装具士《ぎしそうぐし》協会の調査によると、義《ぎ》肢装具士《しそうぐし》の年収については301万～500万円という回答が多くなっています。日本人の平均年収約420万円と同程度で、高度な知識と技術をもつ医療職《いりょうしょく》にしては、それほど高収入ではありません。

資格取得後の年数別に年収を見ると、4年以下の新人では201万～300万円、5～8年では301万～400万円、9～12年では401万～500万円、13～16年では501万～600万円という回答がそれぞれ最も多くなっており、年数に応じて年収が増える傾向《けいこう》が見られます。経験を積んで実力をつければ、収入アップも期待できます。

就職のしやすさを比べてみると…

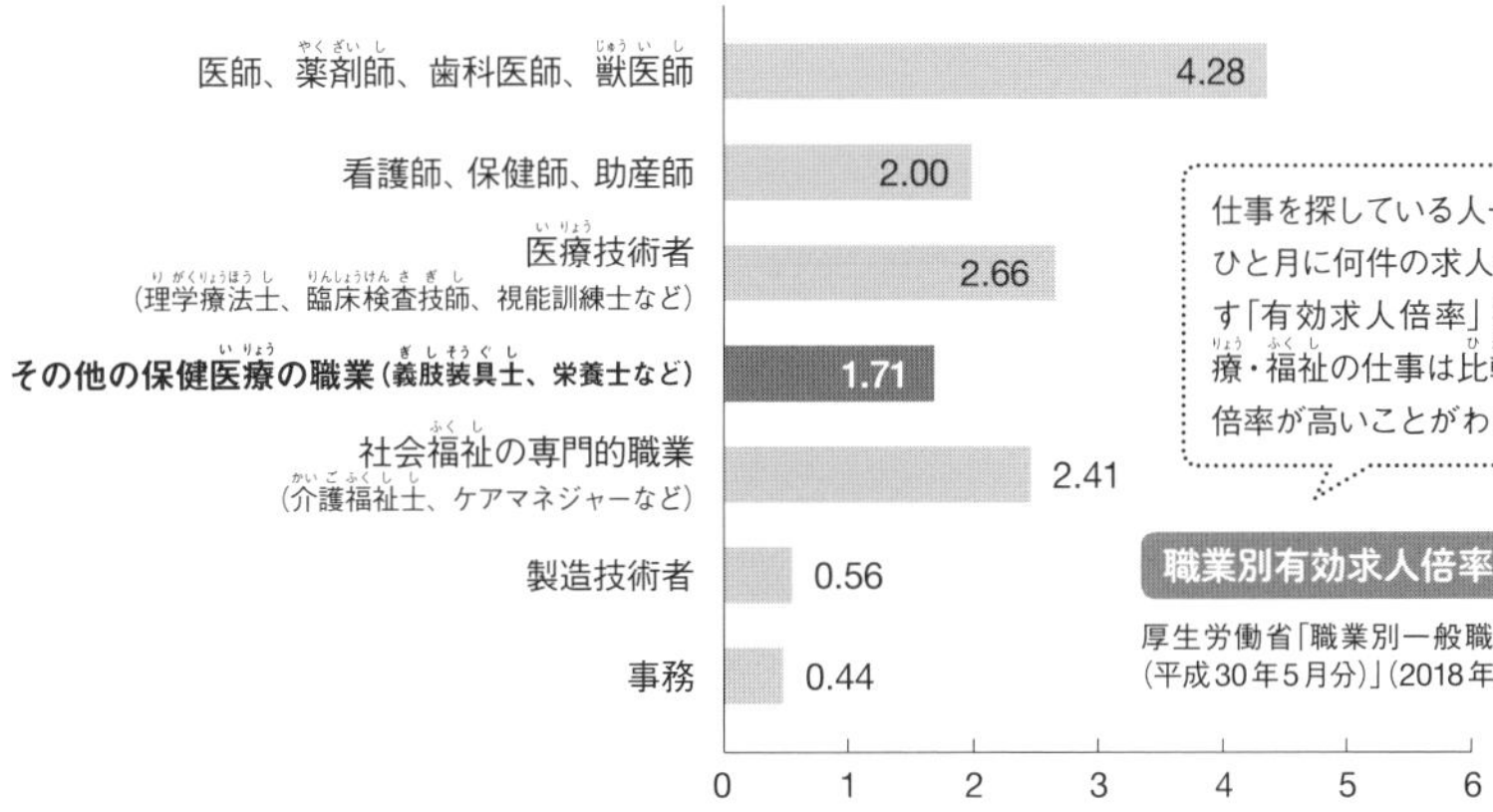

仕事を探している人一人あたりに、ひと月に何件の求人があるかを示す「有効求人倍率」を見ると、医療《いりょう》・福祉《ふくし》の仕事は比較的《ひかくてき》有効求人倍率が高いことがわかります。

職業別有効求人倍率

厚生労働省「職業別一般職業紹介状況（平成30年5月分）」（2018年）より

身体障がい者数の変化　厚生労働省「平成28年生活のしづらさなどに関する調査（全国在宅障害児・者等実態調査）」より作成

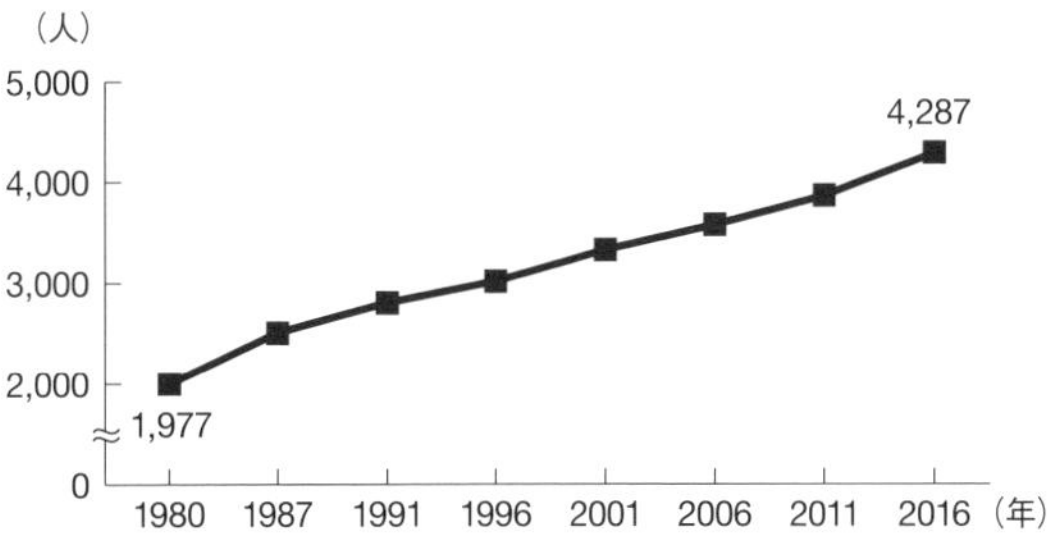

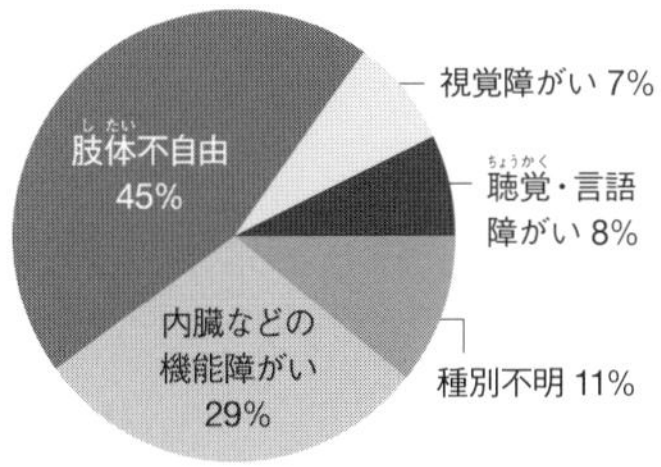

有資格者数が少ないこともあり、安定的に求人があります

義肢装具士《ぎしそうぐし》の数は、ほかの医療職《いりょうしょく》と比べても圧倒的《あっとうてき》に少ないのが現状です。例えば、理学療法士《りがくりょうほうし》は全国に約16万人いますが、義肢装具士《ぎしそうぐし》の有資格者は、その30分の1にも満たないわずか5000人にとどまります。

資格をもつ人の数が少ないこともあり、義肢装具士《ぎしそうぐし》養成校卒業生の就職率は毎年ほぼ100%に近く、安定的に求人があります。求人情報は全国の養成校で共有されるしくみになっていて、どの学校の学生にも平等に情報が提供されています。

身体障がい者の数は年々増え続けており、なかでも、手足など体の動きに関する器官に障がいがある肢体《したい》不自由の人が特に多くの割合をしめています。また、高齢化《こうれいか》にともない、義肢《ぎし》装具を必要とする高齢者《こうれいしゃ》の数も増えています。義肢装具士《ぎしそうぐし》は、これからも求められる職業といえるでしょう。

義《ぎ》肢《し》装《そう》具《ぐ》士《し》の間で今、問題になっていることは？

要介護《ようかいご》・要支援《ようしえん》の認定者《にんていしゃ》数

厚生労働省「平成27年度 介護保険事業状況報告（年報）」より作成

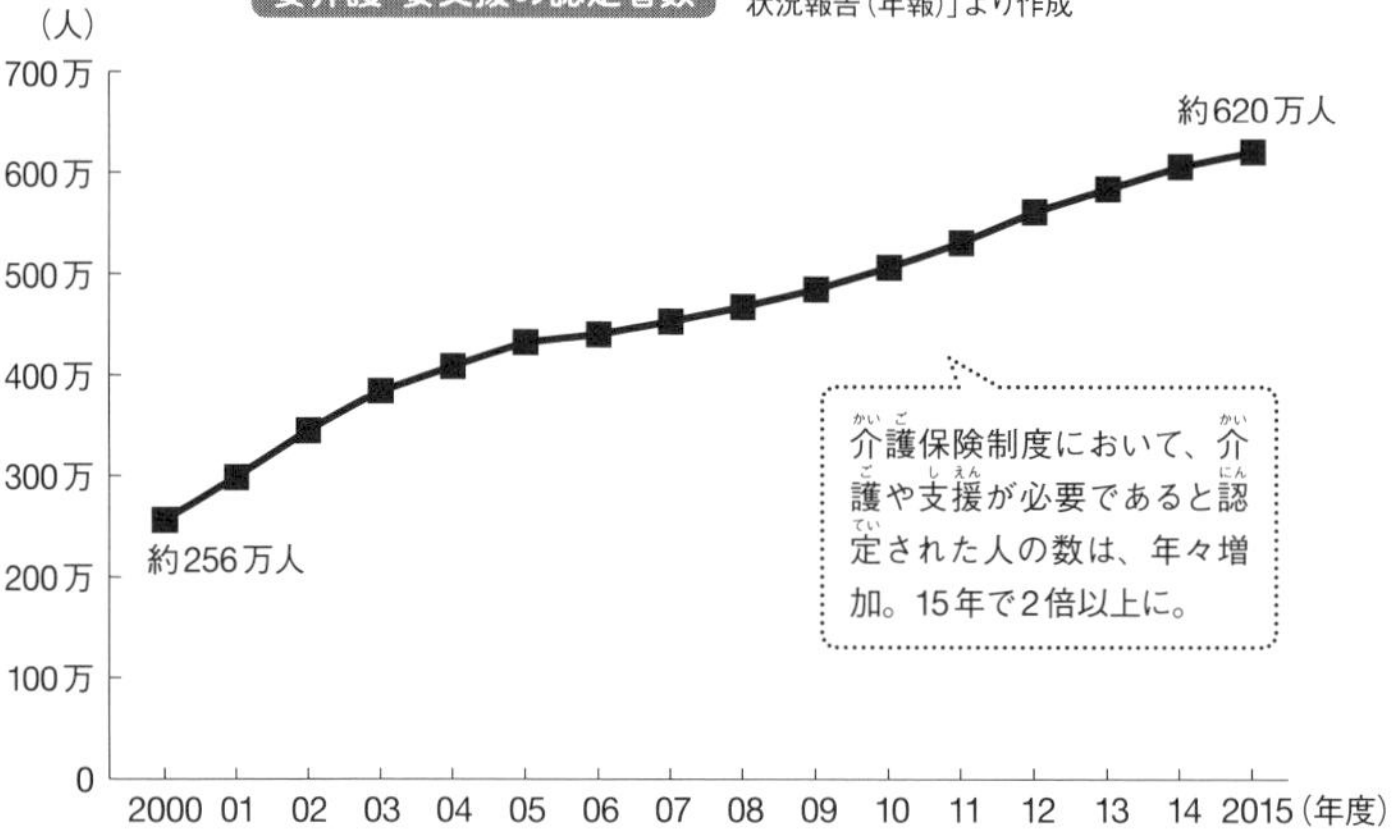

介護《かいご》が必要となったおもな原因

厚生労働省「平成28年 国民生活基礎調査」より作成

- 第1位　認知症《にんちしょう》
- 第2位　脳血管疾患《しっかん》（脳卒中《のうそっちゅう》）
- 第3位　高齢《こうれい》による衰弱《すいじゃく》

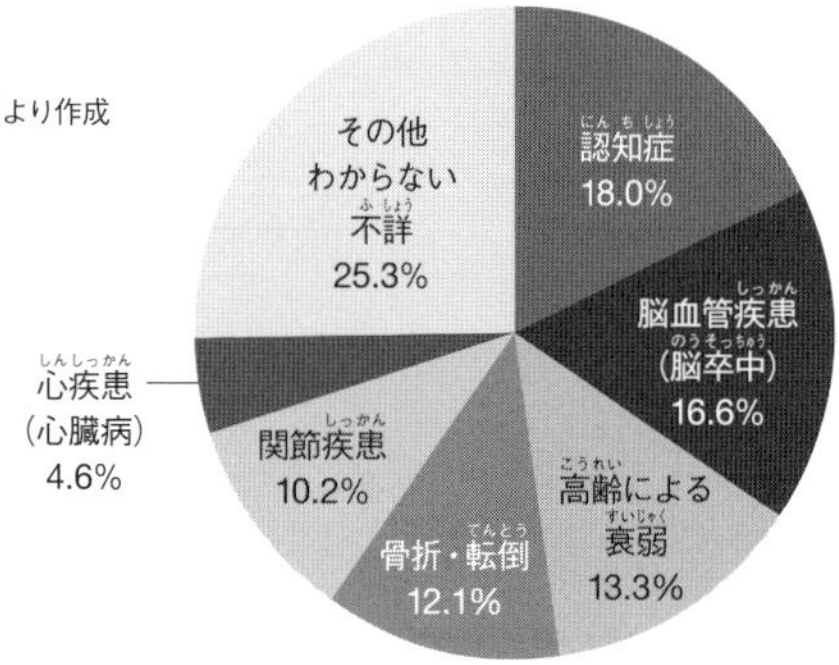

在宅で暮らす人に適切なサービスを提供することが必要

高齢化《こうれいか》が進む日本では、在宅で介護《かいご》サービスなどを利用しながら暮らす高齢者《こうれいしゃ》が増えています。しかし、在宅での生活は、医師や医療職《いりょうしょく》のかかわりが不十分なことも多く、受けられるサービスの質にばらつきがあることが問題となっています。

例えば、脳血管疾患《しっかん》（脳卒中《のうそっちゅう》）の患者《かんじゃ》さんは、歩く際の補助として下肢《かし》装具をつけていることが多いですが、在宅での生活で状態が変化しているにもかかわらず合わない装具を使っていたり、装具が破損したままの状態で使われていたりするケースが報告されています。今、このような問題を解決するためのしくみづくりが求められています。

執筆協力：公益社団法人日本義肢装具士協会会長 坂井一浩

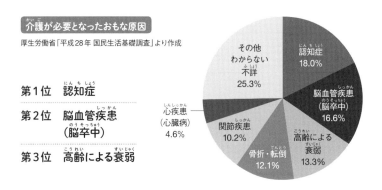

？ これから10年後、どんなふうになる？

ロボット工学などの技術を応用した義肢《ぎし》装具が発達

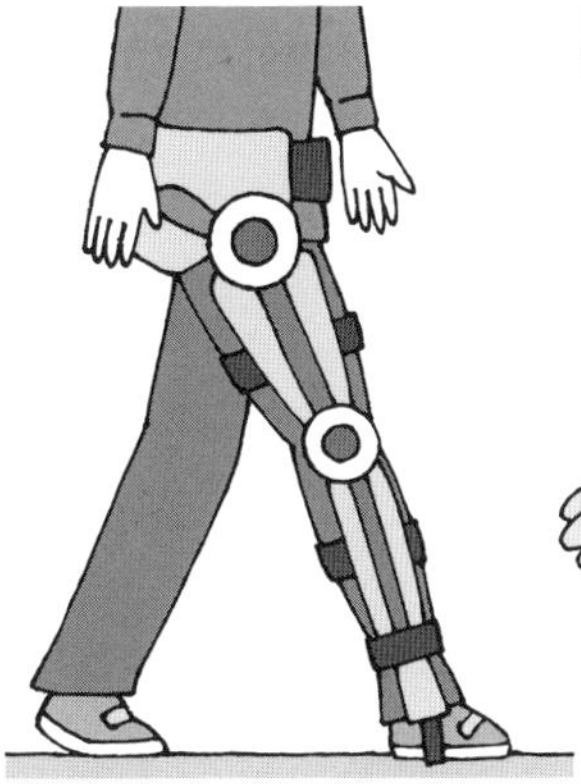

筋電義手《きんでんぎしゅ》とは…
筋肉が発するごく弱い電気信号を利用して操作する義手で、さまざまな動きが可能。

「ものを体に合わせる技術」が幅広《はばひろ》い領域で求められる

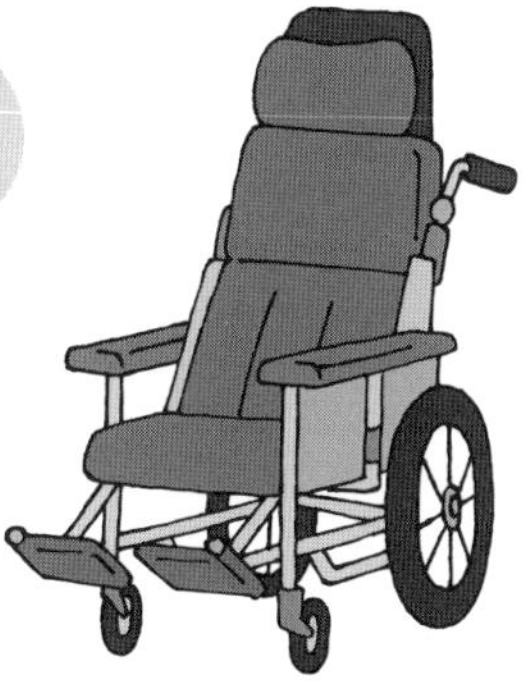

技術はますます進歩。幅広《はばひろ》い領域で専門性を発揮

技術的な進歩が今後ますます期待されます。これまでも、筋電義手《きんでんぎしゅ》のようにロボット工学を応用した義肢《ぎし》はありましたが、このような技術が装具にも応用され、日常生活で使えるものが増えるでしょう。製作の面でも、CAD《キャド》/CAM《キャム》（コンピュータを用いて設計・製造をする技術）や3Dプリンターの利用によって、効率化が進むと考えられます。

義肢《ぎし》装具のニーズは、整形外科《げか》、リハビリテーションにとどまらず、皮膚科《ひふか》や形成外科《げか》などの領域にも広がっています。義肢装具《ぎしそうぐ》士《し》の専門性である「ものを体に合わせる技術」は、靴《くつ》やシーティング、車いすなどの領域でも大いに発揮されるでしょう。

執筆協力：公益社団法人日本義肢装具士協会会長 坂井一浩

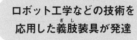

？ 義《ぎ》肢《し》装《そう》具《ぐ》士《し》の職場体験って、できるの？

職場体験は、動きやすく、よごれを気にしなくてよいジャージなどに着がえて行うのが一般的《いっぱんてき》です。

職場体験で できること（例）

- 仕事について説明を聞く
- 施設内《しせつない》の見学
- 義肢《ぎし》装具の見学・体験
- 義肢《ぎし》装具の製作のようすを見せてもらう
- 採型や採寸を実際に体験させてもらう

足型をとるための専用のスポンジに足を押《お》しつけて、採型を体験。とった型をもとに石膏《せっこう》モデルをつくってくれる場合も。

義肢《ぎし》装具製作所で、仕事の見学・体験が可能

義肢《ぎし》装具製作所のなかには、中学生の職場体験を積極的に受け入れているところもあります。学校の先生に義肢装具士《ぎしそうぐし》の仕事に興味があることを伝えて、問い合わせてもらうとよいでしょう。

職場体験では、仕事について話を聞けるほか、作業場での義肢《ぎし》装具の製作のようすを間近で見学し、いろいろな義肢《ぎし》装具を見たりふれたりさせてもらえます。インソール用に足の型をとるなど実際に採型を体験できることもあるようです。また、欠損がない人が装着できる「体験用義足」というものがあり、これを用意しているところでは、義足の装着体験ができます。

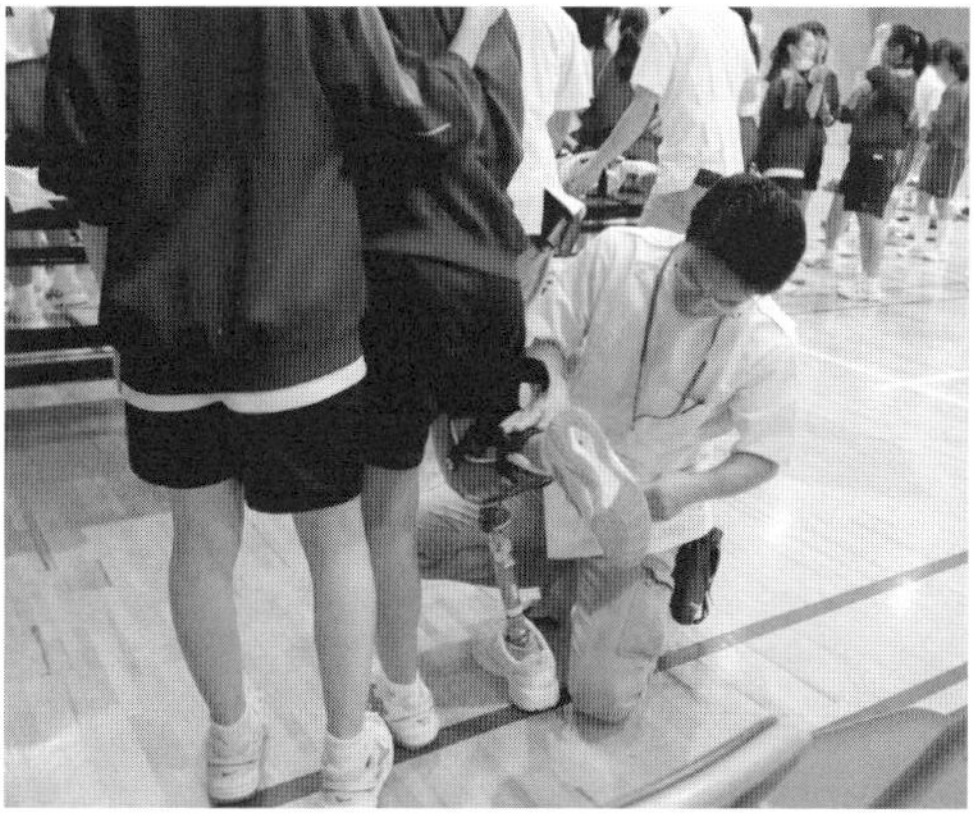

日本義肢装具士《ぎしそうぐし》協会の体験イベント

義肢装具士《ぎしそうぐし》が中学校に出向き、義肢《ぎし》装具の装着体験、採型の実演、義足ユーザーさんとの交流などを実施《じっし》。

写真提供：公益社団法人日本義肢装具士協会

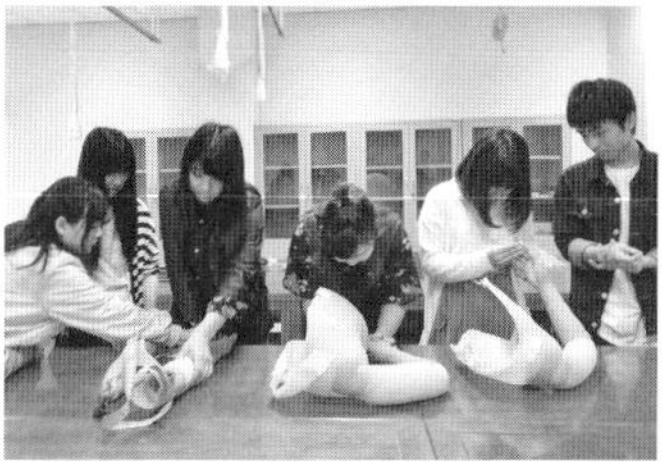

養成校のオープンキャンパス

製作室や機械室を見て回り、義肢《ぎし》装具のつくり方について話を聞きます。義足の組み立て体験ができることも。

写真提供：人間総合科学大学

企業《きぎょう》や団体、養成校も体験イベントなどを行っています

日本義肢装具士《ぎしそうぐし》協会などの義肢《ぎし》装具に関連する団体や、パラスポーツ（障がい者スポーツ）を支援《しえん》している企業《きぎょう》などは、一般《いっぱん》市民や小中学生を対象に、義肢《ぎし》装具やパラスポーツに関する理解を広めるための体験イベントや出前授業を行っています。内容はさまざまですが、義肢《ぎし》装具にふれたり、ユーザーさんの話を聞けたりするので、義肢装具《ぎしそうぐ》士《し》の仕事について理解を深めることができるかもしれません。インターネットで検索《けんさく》するなどして調べてみましょう。

また、義肢装具士《ぎしそうぐし》養成校の多くは、オープンキャンパスや学園祭などの際に、義肢装具《ぎしそうぐ》士《し》の仕事紹介《しょうかい》や、義肢《ぎし》装具の製作体験イベントを行っています。なお、こうしたもよおしとは別に、中学生の見学や体験を受け入れている養成校もあるので、学校の先生を通して問い合わせてみてください。

索引

あ

か

さ

な

は

た

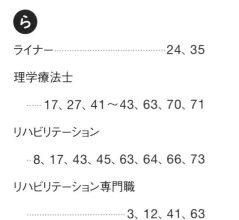

●取材協力（掲載順・敬称略）

株式会社田沢製作所

公益財団法人日産厚生会 玉川病院

オスポ（オキノスポーツ義肢装具）

株式会社大仁商店

株式会社はあとふるあたご

医療法人社団輝生会 船橋市立リハビリテーション病院

独立行政法人国際協力機構 青年海外協力隊

学校法人早稲田医療学園 人間総合科学大学

公益社団法人日本義肢装具士協会

編著／WILL《ウィル》こども知育研究所《ちいくけんきゅうじょ》

幼児・児童向けの知育教材・書籍の企画・開発・編集を行う。2002年よりアフガニスタン難民の教育支援活動に参加、2011年3月11日の東日本大震災後は、被災保育所の支援活動を継続的に行っている。主な編著に『レインボーことば絵じてん』、『絵で見てわかる はじめての古典』全10巻、『せんそうって なんだったの？ 第2期』全12巻、『語りつぎお話絵本 3月11日』全8巻（いずれも学研）、『見たい 聞きたい 恥ずかしくない！ 性の本』全5巻、『ビジュアル食べもの大図鑑』、『やさしく わかる びょうきの えほん』全5巻、『ことばって、おもしろいな「ものの名まえ」絵じてん』全5巻（いずれも金の星社）など。

医療《いりょう》・福祉《ふくし》の仕事《しごと》 見《み》る知《し》るシリーズ

義肢装具士《ぎしそうぐし》の一日《いちにち》

2018年9月1日発行　第1版第1刷©

編　著　WILL《ウィル》こども知育研究所《ちいくけんきゅうじょ》
発行者　長谷川 素美
発行所　株式会社保育社
〒532-0003
大阪市淀川区宮原3－4－30
ニッセイ新大阪ビル16F
TEL 06-6398-5151
FAX 06-6398-5157
https://www.hoikusha.co.jp/
企画制作　株式会社メディカ出版
TEL 06-6398-5048（編集）
https://www.medica.co.jp/
編集担当　中島亜衣
編集協力　株式会社ウィル
執筆協力　中島夕子／清水理絵
装　幀　大薮胤美（フレーズ）
写　真　向村春樹／田辺エリ
本文イラスト　小野正統
印刷・製本　図書印刷株式会社

ISBN978-4-586-08595-8　Printed and bound in Japan

〇〇病院
公認心理師
視能訓練士
歯科医師
医師
看護師
歯科衛生士
作業療法士
言語聴覚士
臨床検査技師
薬剤師
理学療法士
言語聴覚士
〇〇薬局
くすり
薬剤師
〇〇小学校
管理栄養士
義肢装具製作所
義肢装具士